KB016827

일본 활동가들이 말하는

한일 '위안부, 합의의 민낯

"IANFU" MONDAI · NIKKAN "GOUI" WO KANGAERU
by Akira Maeda

Copyright©2016 Akira Maeda
All rights reserved.
Original Japanese edition published by SAIRYUSHA Co.,Ltd.

Korean translation copyright©2016 by Changhae Books
This Korean edition published by arrangement with SAIRYUSHA Co.,Ltd. Tokyo,
through HonnoKizuna, Inc., Tokyo, and BC Agency.

이 책의 한국어판 저작권은 BC 에이전시를 통한
저작권자와의 독점계약으로 창해에 있습니다. 저작권법에 의해
한국 내에서 보호를 받는 저작물이므로 무단전재와 복제를 금합니다.

일 본 활 동 가 들 이 말 하 는

한일 '위안부, 합의의 민낯

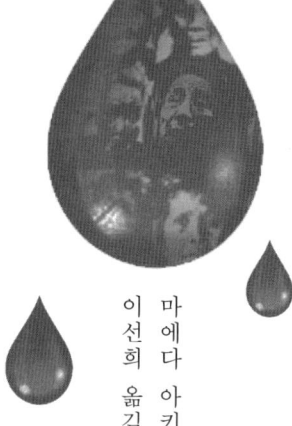

이선희 옮김　마에다 아키라 엮음

창해

차□□□례

2015년 12월 28일, 한국과 일본의 외교장관은 '위안부'(성노예) 문제에 대해 전격적으로 '합의'했다. 하지만 그것은 피해 당사자인 할머니들이 도저히 받아들일 수 없는 내용이었다.

일본뿐만 아니라 한국에서도 '최종적 해결'이라는 견해가 보이는데, 이번 '한일합의'가 '최종적 해결'인지 아닌지는 한일 양국 정부의 향후 노력에 달렸다고 할 수 있다.

지금까지 '위안부'(일본군 성노예제) 문제의 해결을 촉구해온 연구자나 시민운동가들 사이에서도 이번 '한일합의'에 대한 평가는 각기 다르다. 전면적으로 비판하는 사람이 있는가 하면, 어느 정도 긍정적으로 평가하면서 몇 가지 사항을 추가로 요구하기도 한다.

'한일합의'를 제대로 평가하려면 다음의 세 가지 요건이 필요하다.

첫째, 가장 중요한 부분으로 피해자가 어떻게 받아들였느냐 하는 점이다. 한국의 일부 피해자 할머니가 '합의'를 받아들였다는 뉴스가 보도되기도 했다. 그것이 사실이라고 해도, 피해자를 양쪽으로 가르고 합의를 받아들이지 않는 쪽의 목소리를 외면하고 있지는 않은가? 또한 한국 외에 다른 아시아 국가의 피해자는 무시하고 있지 않은가? 이는 그대로 묵과하기 어려운 문제이다.

둘째, 아베 신조(安部晋三) 정권이 지금까지 '위안부' 문제에 어떻게 대응했는지, 전후 70주년 '아베 담화'의 내용은 어떠했는지, 앞으로 어떻게 대응해나갈지 지켜봐야 한다.

셋째, 한국과 일본뿐만 아니라 동아시아, 나아가 국제사회에서 어떤 의미가 있는지 확인해야 한다.

'한일합의'는 한국뿐만 아니라 동아시아 각국의 피해여성이 사반세기 동안 호소해온 목소리에 귀기울이지 않고, 한일 양국 정부의 상황—한미일 군사동맹의 이해관계—에 따른 것이라는 의혹이 강하다. 법적 책임은 물론이고 공식적인 사죄와 배상도 없다. 기금을 설립한다는 내용은 예전에 실패한 바 있는 '여성을 위한 아시아 평화국민기금'(아시아여성기금)의 어리석음을 되풀이하는 것 아닌가.

'위안부' 문제는 전시(戰時) 성폭력이고 전시 성노예제(性奴隷制)이며 국제법에 위반되는 중대한 인권침해이기 때문에, 모든 법적 책임이 일본 정부에 있다. 따라서 유엔 인권기관에서도 공식적인 사죄와 배상을 해야 한다고 지금까지 거듭 권고해왔다. 사반세기에 이르는 조사와 토론을 통해 유엔 인권위원회를 비롯해 유엔 인권이사회의 보편적 정기심사, 국제자유권규약위원회, 국제사회권규약위원회, 여성차별철폐위원회 등도 일본 정부에 해결을 촉구했다. 또한 미국 의회와 EU 의회 등에서도 해결의 필요성을 지적했다.

그럼에도 일본 정부는 역사적 사실을 부정하고 왜곡하며 법적 책임을 회피해왔다. 그리고 다시 피해자들을 모욕하는 행동에 나섰다. 한국 정부는 일본 정부의 압력에 굴복해 인간의 존엄을 회복하고자 하는 자국민의 목소리를 봉쇄하려는 것일까?

'한일합의'는 도저히 최종적 해결이라고 할 수 없음에도 불구하고, 언론에서는 일제히 일본 정부의 '최종적 및 불가역적 해결(번복할 수 없는 완전한 해결—옮긴이)'이라는 주장을 기정사실처럼 보도하고 있다.

이 책의 1부에서는 '위안부' 문제의 역사적 경과와 본질로 돌아가 논의의 관점을 재확인하면서 '한일합의'의 실체를 밝히고 검토할 것이다. 그러기 위해 피해자와 지원단체의 요구와 활동을 살펴보고, '위안부' 문제를 둘러싼 국제적 논의를 토대로 국제법에서 성노예제의 의의를 탐색한 뒤, 해결에 필요한 기본개념을 명확히 밝힐 것이다.

먼저 양징자(梁澄子, 일본군 '위안부' 문제해결 전국행동 공동대표)는 한국의 피해자가 '한일합의'를 어떻게 받아들이는지, 피해자를 지원하는 시민운동가들은 어떻게 생각하고 어떻게 행동하는지

이야기한다. 일본 정부와 매스컴의 선동에도 불구하고 문제 해결은 더 멀어지고 말았다. 이를 해결하고 책임져야 할 사람은 일본 시민들이다.

니시노 루미코(西野瑠美子, 작가)는 양징자의 지적처럼 다시 역사와 마주해야 하는 일본 시민들을 위해 '위안부' 문제의 현재 상황을 꼼꼼히 살펴본다. 더불어 아베 정권의 책동과, 그것을 허용하고 도와주는 매스컴의 책임 및 시민의 책임도 따져 묻는다.

가와카미 시로(川上詩朗, 변호사)는 같은 과제를 법적 관점에서 살펴본다. 지금까지의 '위안부' 재판과 유엔 인권기관의 연구성과를 바탕으로, 성노예 피해자의 존엄 회복과 가해국의 법적 책임을 살펴보면서 논리를 어떻게 구축해야 할지 설파한다.

마에다 아키라(前田朗, 도쿄조케이대학 교수)는 가와카미 시로의 논거를 받아 '성노예제란 무엇인가' 하는 기본적인 문제를 파헤친다. 1990년대 유엔 인권기관에서 '위안부' 문제를 논의했을 때 이미 밝혀진 국제법상의 논점과 당시 일본의 형법 수준을 확인하면서, 성노예제 문제를 법적인 측면에서 접근한다.

다나카 도시유키(田中利幸, 역사가)는 아베 신조 정권의 역사 개찬(改竄, 글의 뜻을 달리하기 위하여 글의 일부 구절이나 글자를 일부러 고침)을, 독일의 '과거 극복'을 둘러싼 논의와 함께 역사의 심판대에 올린다. 그리하여 테오도어 아도르노(Theodor Wiesengrund Adorno, 독일의 철학자이자 미학자, 프랑크푸르트학파의 중심인물)의 경고에 응답한 독일과 계속 회피하는 일본의 차이를 재조명한다.

오카노 야요(岡野八代, 도시샤대학 교수)는 성노예제라는 역사의 비극과 마주하는 페미니즘 윤리학의 가능성을 탐색한다. 인간이 다른 사람과 마주하고 함께 살아간다는 것은 무엇을 뜻하는가. 케어(Care, 보살핌)의 윤리는 우리에게 무엇을 요구하는가. 오카노는 '위안부' 문제의 밑바닥에서 사상의 가능성을 확대시킨다.

요시미 요시아키(吉見義明, 주오대학 교수)는 오랫동안 천착해온 '위안부' 역사 연구의 성과를 바탕으로 '한일합의'의 문제점을 하나하나 지적하고, 합의를 백지화할 수밖에 없는 이유를 살펴본다. "어려움에 부딪쳤을 때는 아무리 시간이 걸려도 근본으로 돌아가야 한다"는 사실을 새삼 느낄 수 있다.

이 책의 2부에서는 그동안 '위안부' 문제를 조사하고 연구해온 연구자와 변호사, 시민 등 각계의 목소리를 담았다.

집필자들 사이에 '한일합의'에 대한 공통적인 인식이 있는 것은 아니다. 집필자들은 '위안부' 문제에 대해 각자의 배경이나 상황에 따라 독자적인 견해를 가져왔다. '한일합의' 또한 마찬가지로, 각자의 자리에서 다양한 평가를 하고 있다. 따라서 여러 가지 의견과 견해를 엿볼 수 있다.

하지만 그런 와중에도 몇 가지의 공통된 인식이 있다.

첫째, '한일합의'가 그대로 '최종적 및 불가역적 해결'은 될 수 없다.

둘째, 일본 정부의 책임 회피는 용서할 수 없다.

셋째, '한일합의'를 실제화하기 위해서는 성실한 실천이 필수적이다.

넷째, 일본 시민의 책임이 크다.

이 책에서는 '위안부'라는 단어를 사용한다. 하지만 그러한 용어는 전시 성노예제의 실태나 그 상황에 처한 여성의 고통과 고뇌를 제대로 표현하지 못한다.

처음 논의가 시작된 1990년대부터 '위안부'가 아니라 성노예, 성노예제라는 표현을 사용해야 한다는 지적이 있었다. 그러나 지금도 '위안부'라는 표현이 일반적으로 사용되고 있다. 모든 필자들의 인식이 일치하는 것은 아니지만, 이 책에서는 '위안부'와 '성노예'라는 말을 함께 사용하기로 한다.

제
1
부

한일합의를 어떻게 받아들일 것인가

책임 전가는
용서될 수 없다

일어서는 한국의
피해자와 시민

梁澄子

양

징

일본군 '위안부' 문제해결 전국행동 공동대표   자

'합의' 직후 피해자와 지원자들의 반응

2015년 12월 24일, 일본군 '위안부' 문제를 연내에 타결하기 위해 아베 총리가 기시다(岸田) 외상에게 한국 방문을 지시했다는 뉴스가 전격적으로 흘러나왔다.

이날부터 12월 28일 한일 외교장관 회담일까지 일본 언론은 기금 구상이나 '소녀상'(정식 명칭은 '평화비'이며, 일본 필자들은 '평화비'로 표현했다. 여기서는 한국인의 이해를 돕기 위해 '소녀상'으로 표기한다.—옮긴이)의 이전을 검토하고 있다는 억측 기사를 앞다투어 쏟아냈다. 그 소식은 곧장 한국 언론에 전해졌고, 피해자들은

초조한 시간을 보내야 했다.

12월 28일 아침, 이번에는 한국 정부가 '비보도'를 조건으로 한국 매스컴에 합의내용을 흘렸다. 그것은 다음과 같다.

① 일본 정부는 책임을 통감한다.
② 총리 자격으로 사죄와 반성을 말한다.
③ 한국이 재단을 설립하고 일본 정부가 10억 엔을 출연한다.

그날 오후 공동기자회견에서 발표된 '위안부 문제의 최종적 및 불가역적 해결'이나 '소녀상'에 관한 내용은 빠져 있었다.

12월 28일 오전, 기자들을 통해 '비보도' 정보를 들은 한국정신대문제 대책협의회(정대협)는 곤혹스러운 상황에 직면했다. 과연 일본 정부가 어떤 사실에 근거해 '책임'을 통감하고 '사죄와 반성'을 말할 것인가. 사실을 제대로 인정하지 않는다면 이번 '합의'는 높이 평가될 수 없었다. 그러나 조금이라도 진전된 점이 있다면 그것을 긍정적으로 평가하고 다음으로 나아가야 하지 않을까. 그렇지 않을 경우 피해자들이 세상을 떠나기 전에 해결하기가 어렵지 않을까.

그런데 오후 3시가 지나서 시작된 공동기자회견은 정대협을 격노하게 만들었다. 사실을 인정하지 않은 채 '책임'이나 '사죄와 반성'을 언급하는 게 무슨 의미가 있는가. 하지만 그 말을 들기 위해 한국 정부가 양보한 것은 너무나 컸다. 특히 그 자리에 있던 이용수 할머니는 피해자인 본인과 아무런 논의 없이 한일 정부가 멋대로 '합의'한 것, 그리고 사실 인정에 대한 진전이 전혀 없음에 크게 분노하고 격앙되었다고 한다.

한편 아침부터 200여 명의 기자가 경기도 광주에 있는 나눔의 집에 몰려들었다. 할머니들은 기자들에게 둘러싸인 채 한일 외교장관의 발표를 지켜보았다. 공동기자회견이 끝나자 기자들의 질문이 쏟아졌다. 이옥선 할머니는 "우리가 돈이 없거나 먹을 게 없어서 일본에 배상하라고 요구하는가? 우리가 명예를 회복해야 하지 않나?"라고 화를 냈다. 또한 강일출 할머니는 "돈 문제가 아니다. 법적 배상을 받아야 한다"고 단언했다. 그러나 일본에서는 "만족스럽지는 않지만 정부의 뜻에 따르겠다"는 유희남 할머니의 발언만 편집해 거듭 매스컴과 인터넷에 내보냈다.

같은 날 밤, 나눔의 집 남해여성회, 정신대 할머니와 함께하는 시민모임(대구), 일본군 '위안부' 할머니와 함께하는 마창진(마산, 창원, 진해) 시민모임, 일본군 '위안부' 할머니와 함께하는 통영거제 시민모임, 정대협의 연명으로 〈일본군 '위안부' 관련 단체 입장〉을 발표했다. 한국 각지에서 피해자를 직접적으로 지원하는 각 단체가 '합의'에 반대한다는 의견을 내놓은 것이다. 그들은 이 성명에서 한일 정부의 '합의'는 피해자와 국민의 바람을 "철저하게 배신한 외교적 담합"이라고 규정했다. 그리고 "2014년 제12차 일본군 '위안부' 문제 해결을 위한 아시아 연대회의에서 각국 피해자의 뜻을 담아 채택한 일본 정부에 대한 제언, 즉 일본 정부의 국가적이고 법적인 책임 이행이 반드시 실현"되도록 촉구했다.

이튿날인 12월 29일, 한국 정부는 정대협이 운영하는 쉼터인 '평화의 우리집'으로 임성남 제1차관을, '나눔의 집'으로 조태열 제2차관을 파견했다.

'평화의 우리집'에서는 김복동, 길원옥, 이용수 할머니가 정부측 인사를 맞이했다. 이용수 할머니는 "당신 누구요? 뭐하는 사람이요? 나이 많아서 모른다고 무시하는 거예요?"라고 말하며 분통을 터뜨렸다. 김복동 할머니는 "아베 총리가 기자들을 모아놓고 공개적으로 자기들이 잘못했다, 용서해달라고 사죄해야 한다. 우리 정부가 타결되었다고 말하는 것은 가당치도 않다"고 말했다.

'나눔의 집'에서는 거주자 10명 중 6명의 할머니가 응대했다. "피해자는 우리인데, 왜 정부가 함부로 합의하나? 우리는 인정 못해"(김군자 할머니), "우리 정부가 '위안부' 할머니를 팔아먹은 것이다. 정부에서 뭘 하나. 공식 사죄와 배상, 난 꼭 받아야 한다"(이옥선 할머니) 등 제각기 양국 정부의 '합의'를 비판했다.

12월 30일, 주한 일본대사관 앞에서 제1,211차 수요집회가 열렸다. 매년 마지막 수요집회에서는 그해에 돌아가신 피해자 할머니들의 추모회가 열린다. 2015년 세상을 떠난 아홉 할머니 사진을 손에 든 젊은이들과 수많은 인파로 발 디딜 틈 없는 가운데, 수요집회 현장은 '한일합의'에 대한 낙담과 분노가 어우러져 침통한 추도의 장이 되었다.

이용수 할머니는 "살아있는 46명만 피해자가 아닙니다. 이 세상을 떠난 피해자 전원에게 공식 사죄와 배상을 하지 않으면 저세상에 가서 얼굴을 볼 낯이 없습니다. 나는 아직 젊습니다. 내 나이 88세. 활동하기 좋은 나이입니다. 죽을 때까지 싸울 겁니다!"라고 의지를 불태워 큰 박수를 받았다.

한국 국민이 '합의'에 반대하는 이유

2016년 새해가 밝았다. 나는 한일 TF 회의에 참석하기 위해 서울로 날아갔다. 한일 TF는 일본군 '위안부' 문제해결 전국행동(전국행동)과 정대협, 한일 법률가로 구성된 팀으로, 2012년 7월 결성된 후 '위안부' 문제의 '법적 해결'을 계속 논의해왔다. 그 모임의 축적된 논의는 2014년 6월 도쿄에서 열린 제12차 아시아 연대회의에서 8개국 피해자와 지원자가 모여 채택한 '일본 정부에 대한 제언'의 기초가 되었다.

"오늘은 2015년 12월 35일. 우리는 아직 새해를 맞이할 수 없다."

1월 4일, 한일 TF 회의가 시작되자 정대협 윤미향 대표는 이렇게 말을 꺼냈다. 그러한 표현은, 피해자를 배제한 채 진행된 정부 간 '합의'로 피해자의 요구와 권리를 일방적으로 짓밟은 양국 정부에 대한 분노와 피해자에 대한 책임감으로 밤을 지새운 정대협 사람들의 괴로운 심정이 여실히 담긴 것이라 할 수 있었다.

1월 4일 열린 한일 TF 회의와 1월 5일 열린 '긴급진단, 2015년 한일 외교장관회담의 문제점'(주최 : 민주사회를 위한 변호사모임, 민주주의 법학연구회, 일본군 '위안부' 연구회 설립 추진회, 정대협)이라는 긴급토론회를 통해 드러난, 한국 국민이 생각하는 '한일합의'의 문제점은 다음과 같다.

첫째, 피해자를 협상과 협의의 주체가 아닌, 기껏해야 배상의 객체 정도로 자리매김했다는 점이다. 현재 생존해 있는 피해자들을 대상으로 사전에 아무런 설명이나 협의가 없었으며, 이미 세상을 떠난 피해자들 또한 전혀 고려하지 않았다. 토론회에 참석한 양현아 서울대 교수는 "사자(死者)들이 편히 누울 수 있는 자리를 고안하는 '아시아적 방법'이 필요하다"고 말한 뒤, "일본 정부의 '책임 통감'이 생존자뿐 아니라 사자에 대한 것이기도 하다면 '소녀상'은 철거의 대상이 아니라 그 앞에서 무릎을 꿇고 참회해야 할 존중의, 존엄의 표상일 것"이라고 말했다.

둘째, 제12차 아시아연대회의에서 요구한 '사실과 책임의 인정', 즉 '법적 책임의 인정'이 이루어지지 않았다. 또한 1995년 일본 총리가 '여성을 위한 아시아 평화국민기금'(아시아여성기금)에 보낸 편지에 쓰여져 있던 '사죄와 반성'이 되풀이되었을 뿐, 1995년 시점에서 한 발짝도 진전되지 않았다.

토론회에서 김창록 경북대 교수는 "1995년 일본 내각 총리대신의 '사과의 편지'에 '도의적 책임'으로 되어 있던 것이 '12·28 합의'에서는 '책임'으로 바뀐 것뿐"이라면서, "'일본 정부의 책임 통감'이나 '내각 총리대신으로서'가 마치 새로운 내용인 듯 언론에 보도되고 있지만 1995년 편지에 이미 담겨 있다"고 설명했다. 그는 "합의를 발표한 직후 아베 신조 총리는 박근혜 대통령과의 전화회담에서 '위안부' 문제를 포함하여 한일 간의 재산·청구권 문제는 1965년 한일청구권·경제협력협정으로 최종적이고 완전하게 해결되었다는 일본 입장에 변함이 없다고 못박았다"며 "다시 말해 '도의적'이라는 단어는 사라졌지만, 일본 정부에게 '책임'이란 여전히 '법적 책임'이 아니라 '도의적 책임'"이라고 강조했다.

셋째, 일본 정부가 10억 엔을 출연해 한국 정부가 설립하는 재단은 배상으로 간주할 수 없다. 이는 '합의' 발표 직후 기시다 외상이 "배상이 아니다"라고 밝힌 것에서도 분명히 알 수 있다.

사실 인정에 근거해 국가가 범죄 책임을 인정하고 공식 사죄한 후의 국비 지출, 즉 법적 책임에 의한 것이 아닌 이상 배상이 아닌 것은 당연한 일이다. 더구나 가해국 일본이 배상이나 후속 조치를 책임져야 함에도, 한국 정부에게 재단을 설립하고 운영하게 함으로써 피해국에 책임을 떠넘기려 하고 있다.

넷째, 진상 규명, 기억의 계승과 역사교육, 추도사업, 역사왜곡 발언에 대한 반박 등 일본이 취해야 할 후속 조치에 대한 언급이 전혀 없다. 이러한 후속 조치를 약속해야 가해국으로서의 법적 책임을 계속 부과할 수 있다. 책임 이행은 하루아침에 끝나지 않는다. 적어도 정부 간 '합의'는 '시작'이어야 한다. 그런데 그것이 '최종적·불가역적 해결'이 된다는 것은 중대한 인권침해 피해자의 피해 회복에 대한 국제적 기준에도 맞지 않는다.

다섯째, 한국 정부가 얻은 것은 작은 반면, 한국이 일본 정부에 약속한 것은 너무 크다. '최종적·불가역적 해결', '유엔 등에서 비난·비판 자제', '소녀상의 적절한 해결'이라는 한국 정부의 약속은 '일본 정부가 표명한 조치가 착실히 시행된다는 전제'가 붙어 있다. 하지만 '일본 정부가 실시할 조치'는 결국 10억 엔의 출연뿐이다. 따라서 "일본 정부가 10억 엔을 출연하기만 하면 한국 정부와의 최종적·불가역적 해결, 한국 정부의 비난·비판의 자제 등을 얻을 수 있다고 해도 과언이 아니다"라고 김창록 교수는 지적했다.

제12차 아시아연대회의의 '제언'을 짓밟은 '합의'

한국의 시민단체 및 연구자들이 지적한 것처럼, 이번 '합의'
는 제12차 아시아연대회의(2014년)가 제시한 '제언'을 무시한
내용이 아닐 수 없다.

'제언'은 ① 일본 정부 및 일본군이 군 시설로 위안소를 입
안·설치하고 관리·통제했다는 점, ② 여성들이 본인의 의사에
반해 '위안부'(성노예)가 되었고, 위안소 등에서 강제적인 상황
에 놓였었다는 점, ③ 일본군에게 성폭력을 당한 식민지, 점령
지, 일본 여성들의 피해는 각각 다른 양태이며, 그 피해가 막대
했고, 지금도 지속되고 있다는 점, ④ 일본군 '위안부' 제도는
당시의 여러 국내법·국제법에 위반되는 중대한 인권침해였다
는 점을 역사적 사실로 인정한 후 국가의 책임을 인정하라고
요구했다. 즉, 어떤 사항을 역사적 사실로 인정하느냐가 가장
중요하다고 주장한 것이다.

그리고 '제언'은 ① 번복할 수 없는 명확하고 공식적인 방식
으로 사죄할 것, ② 사죄의 증거로 피해자에게 배상할 것, ③ 일
본 정부가 보유한 자료의 전면 공개, 일본 국내외에서의 새로
운 자료 조사, 국내외 피해자와 관계자의 증언 조사, ④ 의무교
육과정의 교과서 기술을 포함한 학교교육·사회교육 실시, 추모
사업 실시, 잘못된 역사 인식에 근거한 공인의 발언 금지 및 그

런 발언에 대해 명확하고 공식적으로 반박할 것 등 재발방지 조치를 요구했다.

그러나 이번 '합의'는 '제언'이 제시한 역사적 사실은 언급하지 않은 채, 고노 담화(1993년 8월 고노 요헤이河野洋平 당시 관방장관이 일본군 '위안부'에 대해 사과한 담화)에서 이미 인정한 '군의 관여'라는 표현 밑에 '책임 통감' '사죄와 반성'이라는 키워드만 늘어놓았다. 또한 '제언'이 요구한 진상 규명이나 재발 방지 등의 피해 회복 조치에 대해서도 일절 언급하지 않았다.

아시아연대회의의 '제언'에서는 '법적 해결' '법적 책임'이라는 말을 사용하지 않았지만, '사실과 책임 인정' 및 '피해 회복 조치'를 근거로 일본 정부가 법적 책임을 다할 수 있다고 호소했다. 가해국이 역사적 사실을 구체적으로 언급함으로써 '위안부' 제도가 전쟁범죄이며 '위안부'가 된 여성들이 성노예 상태에 놓여 있었다는 점이 밝혀지고, 공식사죄와 배상, 기타 피해 회복 조치가 이루어짐으로써 법적 책임을 다할 수 있다는 '제언' 내용은 이번 합의에 전혀 반영되지 못했다.

아시아연대회의의 '제언'은 "해결이란 피해 당사자가 받아들일 수 있는 해결책을 제시했을 때 비로소 그 첫걸음을 내디딜 수 있다"고 지적했다. 심각한 인권침해로 평생 고통 속에서 살아온 피해자의 마음을 치유하는 과정은 결코 쉬운 일이 아니다. 따라서 피해자가 용서할 때까지 사죄하면서 필요한 조치를 계속해야 한다는 뜻이다.

이번 '합의'는 '피해당사자가 받아들일 수 있는 해결책'이 되지 못한 만큼 '첫걸음을 내딛는 일'조차 하지 못했다.

'위안부' 문제는 중대한 인권침해의 역사에서 인류가 배워야 할 교훈을 생각하고, 기억하고, 전달하고, 두 번 다시 되풀이되지 않도록 끊임없이 싸울 것을 촉구한다. 다시 말해 '최종적·불가역적' 해결 따위는 결코 있을 수 없는 중대한 인권침해 문제에 대해 한일 양국이 멋대로 '최종적·불가역적 해결'을 선언하는 중대한 오류를 범한 것이다. 더구나 가해국이 피해국에 필요한 조치를 떠넘긴 이번 '합의'는 결코 '최종적 해결'이 될 수 없으며, 가해국의 잘못된 자세를 다시 한 번 부각시킨 것에 불과하다.

'합의' 무효화 운동의 확산

2016년 초 한국에서 내가 목격한 것은 정대협 산하의 조직적인 '합의' 반대운동이 아니라, 분노한 시민들 사이에서 자발적으로 이루어진 수많은 움직임이었다.

2015년 12월 30일 제1,211차 수요집회가 끝난 직후부터 학생들이 소녀상을 지키는 농성을 시작했다. 처음에는 일주일로

예정했지만 2016년 1월 31일인 지금도 계속되고 있다. 영하 10~20도에 이르는 극한의 서울에서 텐트를 치는 것조차 금지 당한 학생들은 비닐 시트로 몸을 감싼 채 밤을 보내고 있다.

또한 2016년 1월 4~5일에는 한국외국어대 총학생회, 이화 여대 총학생회, 고려대 총학생회에서 성명을 발표했다. 그리고 1월 13일에는 서울대·연세대 등 16개 대학 총학생회로 구성된 '한일 정부 간 합의를 규탄하는 대학생 대표자 시국회의'에서, '한일합의'의 무효화와 '소녀상' 이전을 반대하는 성명을 발표 했다.

그 밖에도 가수들은 '제2의 굴욕적인 한일협상 온몸 거부 예 술행동'을 제안해, 매주 수요집회 이후 '소녀상' 뒤에서 노래 릴 레이를 펼쳤다. 또한 전국 32개 지방자치단체장은 '소녀상' 건 립을 지지하며 '위안부' 협상 타결에 반대하는 공동선언을 냈 다. 또한 연구자들은 '일본군 '위안부' 연구회'를 만들어 '위안 부' 문제의 정의로운 해결을 위한 연구활동을 시작했고, 민주사 회를 위한 변호사모임(민변)은 '합의'의 문제점을 지적하는 청 원서를 유엔 인권조약기구와 특별보고관에게 제출하는 등 각 자의 자리에서 자발적으로 행동에 나서고 있다. 또한 각지에서 일인시위나 동시다발적 수요집회, 일반집회, 서명운동이 벌어 지는 등 '합의'에 대한 분노가 한국 전역을 뒤덮고 있다.

2016년 1월 14일, 이들 시민의 움직임을 규합해 개인 336

명, 단체 386개로 이루어진 '한일 일본군 '위안부' 합의 무효와 정의로운 해결을 위한 전국행동'(전국행동)이 발족되었다. 전국 행동에 참여하는 사람은 계속 늘어나, 1월 31일 현재 개인 약 400명, 단체 약 500개에 이르고 있다.

전국행동은 2016년부터 새로이 일본군 '위안부' 문제의 정 의로운 해결을 위해 행동하겠다고 선언하고, 일본 정부의 범죄 사실 인정, 번복할 수 없는 명확한 공식 사죄, 사죄의 증거로 배 상, 진상 규명, 역사교육 및 추도사업 등의 조치를 전 세계인들 과 함께 요구하기로 했다. 또한 "한국 정부의 재단 설립과 일본 정부의 10억 엔 출연을 온몸으로 거부하고, 전 세계인들이 일 본군 '위안부' 희생자인 할머니와 손잡는 모금운동"을 시작하 겠다고 발표했다.

모금을 관리할 곳은 '일본군 '위안부' 할머니와 손잡는 정의 기억재단'(정의기억재단)으로, 이곳에서는 '위안부' 피해자의 지 원, '위안부' 문제의 진상 규명과 기록보존사업, 소녀상 건립과 추도사업, 미래세대를 위한 교육사업 등을 추진한다.

'정의기억재단'의 첫 출연자는 '위안부' 피해자인 김복동 할 머니였다. 김복동 할머니는 "법적 배상이 아닌 10억 엔을 나는 거부한다. 그런 돈이라면 1,000억 엔이라도 받지 않겠다"고 말 하고, "나도 비록 피해자지만 시민들이 하는 일을 보기만 할 게 아니라 재단의 발족에 직접 참여하고 싶다. 전쟁 때 같이 고통

받은 사람들 20명과 손을 잡겠다"고 선언하며 100만 원을 기부했다.

애초 재단 설립을 촉구한 것은 '합의' 직후부터 자발적으로 시작된 시민의 모금활동이었다. 예를 들면, 2016년 1월 5일, JTBC 보도국 앞으로 1,020만 원의 현금이 든 상자가 도착했다. '평범한 서울시민'이라고 밝힌 A씨는 "이번 위안부 협상 결과는 진정 어린 사과는 없고 조건과 타협만 있었습니다. 우리가 원하는 것은 돈이 아니라 진심 어린 사과와 법적인 조치라는 점을 일본에 알리고 싶습니다"라며 아내와 자녀들의 뜻을 모아 빳빳한 5만 원권 204장, 즉 1,020만 원을 보내온 것이다. 그는 "일본에게 사과 대신 받았다는 그 돈은 필요 없으니 차라리 국민이 성금을 모으는 게 더 낫다"고 했다.

한편 1월 7일, 서울 종로구에 사는 한 주민은 정대협 앞으로 10만 5,000원짜리 통상환증서를 보내왔다. 대리운전을 한다는 그는 새해 첫날 일해서 얻은 수입을 "뜻깊은 일에 사용하고 싶다"면서 "우리나라 국민이 모금운동을 한다면 앞으로도 힘 닿는 한 돕겠다"는 편지를 덧붙였다. 이런 시민들의 마음을 받아들여 서둘러 재단을 설립한 것이다. 재단을 발족한 지 2주 만에 모금액이 1억 원을 상회했다.

일본 시민이 해야 할 일

정부 간의 일방적인 '합의'에 대해 한국 피해자와 시민의 분노는 가히 폭발적이다. 이를 두고 일본에서는 마치 한국의 시민운동, 특히 정대협이 '해결'의 장애물인 것처럼 보도하는 곳도 있고, 피해자와 지원단체가 '설득'의 대상인 듯 말하는 곳도 있다.

일본 정부는 한국 정부에 일본대사관 앞의 '소녀상'을 '관련단체와 협의'해 '적절하게 해결'할 것을 약속하게 만들었으며, "'위안부' 할머니의 명예와 존엄의 회복, 마음의 상처 치유 사업을 위한" 재단 설립과 운영을 강요했다. 그러고는 "일본이 잃어버린 것은 10억 엔"(기시다 외상), "이렇게까지 해놓고 약속을 어기면 한국은 국제사회의 일원으로서 끝난다"(아베 총리)라고 큰소리치고 있다. 게다가 한국 정부가 피해자와 지원단체를 어떻게 설득하느냐에 '합의'의 성패가 달린 것처럼 여론몰이를 하고 있다.

일본 시민은 본래 가해국이 해야 할 책임을 피해국에 강요하고 문제 해결의 열쇠를 한국 정부와 한국 사회가 쥐고 있는 듯한 구도를 만들려는 아베 정권의 속셈을 결코 좌시해서는 안된다.

일본 정부는 피해국 정부에 책임을 떠넘기고, 일본 여론은 피해국의 시민운동에 책임을 전가하고 있다. 이런 현실에서 일본 시민이 해야 할 일은 무엇인가.

우선 일본 정부에게 가해국으로서 책임을 다하라고 촉구해야 한다. 그리고 '위안부' 문제의 역사적 사실을 기억하고, "우리들 같은 피해자가 다시는 나오지 않도록"이라고 호소해온 피해 할머니들의 마음을 기억하고 전달해야 한다. 똑같은 잘못을 되풀이하지 않는 사회를 만들기 위해, 스스로 책임을 지고 끊임없이 노력해야 하는 것이다.

이처럼 일본 시민은 모든 상황이 우리 책임임을 깨닫고 직접 행동하는 것임을 자각해야 한다.

책임과 반성 없는 이중기준으로
'우리'는 이 과거를 끝낼 수 있을까

西野瑠美子

니
시
노

루
미
코

'전쟁과 여성에 대한 폭력' 리서치 액션센터 공동대표·작가

이 글의 제목에 들어가는 '우리'란 단어는 군대 위안소의 입안, '위안부' 징집을 위한 업자 선정과 의뢰, 배치 지시, 이송, 자금 조달, 관리·감독 등 '위안부' 제도의 운용에서 지휘명령계통의 가장 위(주체)에 있었던 가해국 일본의 국민과 시민을 총칭한다. 어떻게 책임져야 할지에 대해 피해자의 생각에만 기댈 것이 아니라, 일본 스스로 이 과거와 어떻게 마주해야 할지 고민해야 하지 않을까. 이것이 가해국에 사는 사람의 권리이자 책무라고 생각하며 나는 이런 표현을 사용했다.

2015년 12월 28일, 정신없이 바쁜 연말의 허를 찌르고 한일 양국 외교장관이 공동기자회견을 했다. 한일 외교장관회담에

서 '위안부' 문제 해결에 합의했다는 것이 주요 골자이다. 기자회견에서 발표한 내용은 다음과 같다.

① '당시 군의 관여 하에 다수 여성의 명예와 존엄에 깊은 상처를 입힌' 것에 대해 '일본 정부는 책임을 통감하고 있다.'

② 내각 총리대신으로서 '마음으로부터 사죄와 반성의 마음을 표명한다.'

③ '마음의 상처를 치유하는 조치'로써 한국 정부가 재단을 설립하고, 일본 정부가 10억 엔을 출연한다.

④ ③의 조치를 착실히 실시한다는 것을 전제로, '위안부' 문제가 '최종적 및 불가역적으로 해결될 것임을 확인한다.'

⑤ 한일 양국 정부는 향후 유엔 등 국제사회에서 동 문제에 대해 상호 비난·비판하는 것을 자제한다.

⑥ 주한 일본대사관 앞의 '소녀상'에 대해 한국 정부는 '적절히 해결되도록 노력(이전·철거를 포함)한다.'

일본의 주요 신문과 정치권의 기괴한 평가

다음날 일본 대부분의 신문에서 "최종적·불가역적 해결"이란 제목의 기사가 눈에 띄었다. "한일 '위안부' 해결 합의/최종적 및 불가역적"(마이니치신문), "'위안부' 한일합의/최종적·불가

역적으로 해결"(요미우리신문), "'위안부' 한일합의/최종적·불가
역적으로 해결 확인"(산케이신문) 등 부정적인 내용의 제목은 찾
아볼 수 없었다. 아사히신문의 경우 "'위안부' 문제 한일합의/
정부의 책임 인정·총리 사죄"라고 써서 합의의 두 가지 요점을
드러냈지만, 이것 역시 비판적 관점이 아니라 합의에 대한 평
가를 강조하는 것이었다.

이날 합의를 환영하는 신문에는 "총리, 사죄의 숙명에서 해
방"(산케이신문, 12월 30일), "일본 거의 만액회답(滿額回答, 상대의
요구를 대부분 들어줌.)"(마이니치신문), "한일 고심의 착지점"(아사
히신문) 등 반성과는 거리가 먼 단어들이 눈에 띈다. '최종적·불
가역적 해결'이라는 문구(실제로는 문서로 만들지 않았기 때문에 법
적 효력은 불분명함.)에서 '잘했다'는 분위기가 느껴져 불쾌감을
느낀 사람은 비단 나뿐이었을까.

어느 신문이든 큰 차이 없이 사회적으로 평가 분위기를 부
추기는 듯한, 어딘가 속박에서 벗어난 듯한 무기질적이며 가루
같은 공기, 뻔뻔스럽게 소리 높여 외치는 들뜬 분위기에 숨이
막힌 이유는 그것만이 아니었다.

문제의식에 엇갈림이나 온도 차이는 있지만, 놀랍게도 여당
뿐만 아니라 사민당과 공산당 등 야당까지 '합의'를 높이 평가
하는 논평을 즉시 내놓았다.

여당인 자민당은 "한일 문제의 목에 걸려 있던 가시가 빠졌

다. 내각 지지율이 올라갈 것이다"(니카이 도시히로二階俊博 총무회
장, 산케이신문), "(합의에 의해) 본래 마땅히 그래야 할 미래 지향
적인 한일 관계를 구축할 수 있다", "경제나 관광 등에서 상상
을 초월하는 성과가 나올 것이다"(가와무라 다케오河村建夫 관방장
관, 산케이신문) 등 '위안부' 관련 피해자는 염두에 두지 않은 채
오직 경제효과에 대한 기대감만 토로했다. 공명당도 "타당한
결과다"(야마구치 나쓰오山口那津男 대표, 마이니치신문) "동아시아의
안전보장 대처에도 토대가 생겼다"(야마구치 나쓰오 대표, 산케이
신문) 등 '위안부' 문제는 제쳐두고 안전보장에 대한 평가에 흥
분을 감추지 않았다.

한편 야당인 민주당은 "미래지향적 합의가 이루어진 것을 솔
직히 환영하고 싶다"(나가시마 아키히사長島昭久, 마이니치신문), 유
신당은 "다시 문제 삼지 않겠다는 언질을 얻은 것은 솔직하게
평가하고 싶다"(이마이 마사토今井雅人 간사장, 산케이신문)라고 평
가했고, 사민당과 공산당도 "해결 전망이 보여 다행이다"(무라
야마 도미이치村山富市 전 총리, 산케이신문) "문제 해결을 향한 진전
이라 평가할 수 있다"(시이 가즈오志位和夫 위원장, 신문 아카하타)라
는 논평을 내놓았다.

진정한 해결을 그토록 촉구해왔는데, 어떻게 이런 '합의'를
'해결'이고 '진전'이라 할 수 있는가. '일본 정부의 책임'이라는
문구가 있는 만큼 완전히 뒤통수를 얻어맞은 건 아니지만, 야

당의 평가는 너무도 졸속이지 않은가.

야당에서 유일하게 의문을 나타낸 곳은 '일본의 마음을 소중히 하는 당'이었다. 나카야마 교코(中山恭子) 대표는 "미래 지향의 한일관계를 향해 노력했다"고 평가하면서도 "아베 외교의 최대 오점이 된다고 생각하고, 커다란 실망을 표명한다"고 비판했다. 그런데 이는 '군의 관여'를 인정하고 사죄한 것에 대한 불만이었다. 강경파적인 감정론이었던 것이다.

요즘의 상황에서 확실히 알 수 있듯이, '합의'의 치명적 결함은 가장 중요한 가해주체의 사실 인정을 덮은 것에 있다. 만약 정말로 '최종적·불가역적'으로 끝내려 한다면, 일본 정부는 제삼자의 위치에서 행하는 정체를 알 수 없는 이상한 책임론에서 탈피하지 않으면 안 된다. 사실 인정에 중대한 결함이 있는 이상, 이 합의는 제대로 된 해결이 될 수 없다.

'군의 관여'는 '업자 주체론'

이번 '합의'로 모든 것을 끝내려 한다면, 이는 결국 해결로 가는 길을 차단하게 될 것이다. 그렇게 생각하는 이유로 몇 가지가 있다.

첫째, 최대 논점이었던 가해 주체의 사실 인정이 결국 주체를 회피한 '군의 관여'에 머물렀기 때문이다. 관여를 인정한다는 말은 책임의 주체가 다른 곳에 있다는 뜻이다. 제1차 아베 내각 당시, 아베 총리는 "중간에 개입한 업자가 사실상 강제한 광의의 강제성은 있었다"(2007년 3월 5일, 참의원 예산위원회)고 답변했다. 이른바 강제동원의 책임이 업자에게 있다는 것으로, '업자 주체론'과 통한다.

작년 4월 방미한 아베 총리는 '위안부'를 '인신매매의 희생자'라고 말했다. 본래 '인신매매'를 인정한다는 것은 국가의 범죄를 인정한다는 의미지만, 아베 총리가 그렇게 말한 경위를 보면 인신매매를 저지른 대상이 업자라는 뉘앙스가 강하다. '군의 관여'는 실태만이 아니라 책임까지 바꾸는 '업자 책임 주체론'일 뿐이다.

이것은 아베 정권이 답습하기로 각의결정(閣議決定, 일본 내각에서 결정함.)한 고노 요헤이 관방장관 담화(이하 고노 담화)에도 반하는 역사관이다. 고노 담화에서는 위안소의 설치·관리·이송에 군이 관여했다고 했지만, 그것에 머물지 않는다. '위안부' 모집은 '군의 요청을 받은 업자'가 주로 했다고 하는데, 이는 군이 '위안부' 모집을 지휘했다는 것일 뿐이다. 따라서 '위안부' 모집에서 (업자가) '감언 혹은 강압에 의하는 등 본인들의 의사에 반해서 모집'한 것이나, 관헌이 '감언 혹은 강압에 의하는 등 본인들의 의사에 반해서 모집'한 것의 책임은 모집을 지시한 군에 있음을 의미한다. 또한 위안소 생활에 강제성이 있었음(성행위의 강요가 있었다.)을 인정한다는 말이고, 따라서 문장에 비록 주어가 없다는 결점은 있지만 내용상 강제성과 군의 책임을 인정했다고 할 수 있다.

고노 담화가 발표된 후에도 군이 관여 정도가 아니라 지시·명령의 주체였다는 사실이 수많은 자료를 통해 명백히 밝혀져 왔다. 그런데 이번 '합의'는 그런 20여 년의 조사·연구 성과를 무시했을 뿐 아니라 고노 담화를 크게 후퇴시키고 말았다.

'군의 관여'가 책임회피의 통로로써 의도적으로 사용되었다는 것은 2016년 1월 18일 아베 총리의 참의원 예산위원회 답변을 통해 더욱 명확해졌다. 질문에 나선 '일본의 마음을 소중히 하는 당'의 나카야마 교코 대표는 '합의' 속 '군의 관여' 인정을 비판하면서 "일본은 무서운 나라, 잔악한 나라라는 세계의 시선을 돌이킬 수 없게 되었"는데, (그럼에도 불구하고 '합의'에서 관여를 인정한 것은) "앞으로 살아갈 아이들에게 계속 사죄해야 하는 잔혹한 운명을 짊어지게 한 것이 아닌가"라고 다그쳤다. 이 질문은 비판이라기보다 아베 총리와 똑같은 사고방식을 가진 일본 무죄론에 입각한 강제 부정파를 염두에 두고, 아베 총리의 '사고방식이 바뀌지 않았다'는 사실을 보여주려 한 것이었다.

이에 대해 아베 총리는 '군의 관여'에 대해 "위생 관리를 포함해 관리, 시설에 관여했다"고 설명한 뒤, '위안부' 연행에 대해서는 2007년 각의결정의 인식에 변함이 없다고 말했다. 또한 군·관헌에 의한 '위안부' 징집의 강제성을 부정하며 '성노예'라는 표현은 '비방, 중상'이라고 단언했다. 이는 고노 담화를 정면으로 부정하는 동시에, 답습과 부정의 이중기준을 국회에서 선택적으로 사용했다고 할 수 있다. 한마디로 이중기준을 제멋대로 구사하는 정치인 것이다.

모호한 성격의 '책임'

둘째, '도의적 책임'인지 '법적 책임'인지 '책임'의 성격이 모호하다는 점이다. 일본 정부는 방한 전부터 1965년 한일청구권협정에 근거해 법적 책임이 해결되었다는 입장에 변함이 없다고 강조했다. 재단에 출연하는 10억 엔이 '배상이 아니'라는 것도 회담 후 공동기자회견에서 기시다 외상이 처음 이야기한 건 아니다. 한국에 가기 전 이미 "법적 책임으로 이어지는 배상에는 해당하지 않는다"(마이니치신문 2015년 12월 27일)고 밝힌 것이다.

일련의 보도를 보면 이번 '합의'에서 일본 정부의 최대 목표는 "나중에 다시 문제 삼을 일이 없는 형태의 결착(結着. 마무리짓기)"(마이니치신문·산케이신문 등 2016년 12월 25, 26일)으로, 이를 위해 '최종적 및 불가역적'이란 단어를 붙이는 일이 궁극의 명제였던 듯하다. 그러기 위해서는 '지원금'을 "증액해서라도 일괄대응하여 전부 끝내야 한다"(산케이신문 2015년 12월 26일)는 의견도 나왔다.

일본의 결코 양보할 수 없는 견해는 사전협의 때 한국 측에 전해졌음이 분명하다. 실제로 요미우리신문은 2015년 12월 24일 지면에서 한일 양국 정부가 "위안부 문제의 조기 타결을 향해 막바지 협의에 들어갔다"고 보도했다. 또한 25일에는 일본 정부가 "배상에는 응하지 않지만 한국 측이 일본의 입장을 헐뜯는 행위를 그만두면 위안부에 대한 의료·복지 지원을 확충"할 것을 검토 중이라고 보도했다. 이는 방한 시에 그럭저럭 합의가 굳어졌다는 뜻이다. 한국 측은 10억 엔이 배상금이 아니라 '지원금'이라는 사실을 알면서도 합의한 것일까?

방한 전 한국 여론은 "일본이 국가 차원의 법적 책임을 어디까지 인정하느냐에 달려 있다"(조선일보), "위안부 강제동원이 개인적, 도의적 수준을 넘어 일본국과 군의 책임이었음을 명확히 해야 할 것"(동아일보), "위안부 강제연행 사실 인정이 지켜내야 할 최소한의 마지노선"(중앙일보)이라고 보도하는 등 '위안부' 제도의 주체와 강제성 인정, 법적 책임이 양보할 수 없는 부분으로 인식되었다.

그러나 '합의' 내용을 보면 그것들은 허공에서 춤을 춘다. 성격을 정하는 수식어가 없는 '책임'이라는 표현을 구태여 한국 측이 받아들인 이유는 "'도의적'이라는 수식어도 없었던 것에서 일본 정부가 책임을 명확히 인정했다고 (한국 내에) 설명할수 있게 되었다", "(법적 책임에 관해) 타결하지 못했을 때의 단점이 더 크다고 판단한 것으로 보인다"(아사히신문 2015년 12월 29일) 등으로 추측할 수 있다.

지금까지 피해여성들이 사실 인정과 명확한 책임 인정, 이를토대로 사죄와 배상(법적 책임의 이행)을 원했던 것은 그것이 피해자의 '존엄 회복'을 실현하는 첫걸음이기 때문이다. 그 첫걸음을 내딛기 위해 피해여성들은 오랫동안 소리를 높여왔다. 그러나 이 '합의'는 피해자를 배제한 '국가 간 화해책'으로 당연히 피해자의 분노를 촉발했다.

피해자와 여론을 '설득'할 만한 그럴싸한 말로 앞뒤를 맞춰끝내려는 '합의'는 정의를 경시하고 '존엄 회복'이라는 말로 피해자에게 깊은 상처를 입혔을 뿐만 아니라, 역사적 사실을 심각하게 왜곡하려는 정치적 폭거에 지나지 않는다.

'한일합의'는 곧 '안보합의'

셋째, 피해자를 무시한 '합의'의 정체다. 이번 합의가 '위안부' 문제의 해결이 아니라 양국 외교를 우선하며 굳건한 한일 안보 보장을 위한 '안보외교 타결'이라는 것은 배후에서 움직인 사람이 일본의 국가안전보장 국장 야치 쇼타로(谷内正太郎)와 한국의 대통령 비서실장(전 주일대사) 이병기였던 것에서도 확신할 수 있는 부분이다.

이번 '합의'의 배경에는 "한국과 일본의 관계가 계속 악화하면 중국이나 북한을 이롭게 하고, 미국이 주도하는 외교·안보 보장전략이 어긋날 수도 있다"고 생각하여 '한일 대립에 골치를 썩이고 있던' 두 나라의 '동맹국'인 미국이 몇 번에 걸쳐 '화해'를 요구(아사히신문 2015년 12월 29일)했던 사실이 있다. 아베 총리가 호언장담한 '전후 레짐(Regime, 체제)의 탈피'란 미국의 영향을 더 많이 받고 미국과 끊을 수 없는 관계가 되는 것을 뜻하는가?

어찌 되었든 '합의'의 이면에 미국 정부의 입김이 강력하게 작용한 것은 분명하다. 2015년 12월 26일, 이미 미국 정부의 힘을 빌리는 듯한 '한일 간 타결을 미국 정부가 높이 평가하는 성명을 내는 방안'이 보도되었다. 실제로 한일 공동기자회견이 진행된 12월 28일, 켈리 미 국무장관은 '합의를 환영'하는 성명을 발표하면서 "이번 합의가 '위안부' 문제의 결착을 뜻하는 것으로 인식하고 있다"고 표명했다. 짜고 하는 쇼도 이만저만이 아니다. '합의'를 '위안부 문제의 결착'이라고 평가하는 것은 피해자에 대한 권력적·국가적 배척의 용인이 아닌가.

생활 속에서 계속 기억하기

넷째, '최종적 및 불가역적으로 해결'된다는 것은 앞으로 한일 양국 정부가 '유엔 등 국제사회에서 상호 비난·비판'을 금지한다는 의미이다.

'합의'한 지 한 달도 되기 전에 아베 총리는 국회에서 '강제연행'과 '성노예' 사실을 당당히 부정했다. '합의'라는 모호한 장치는 그 틈을 뚫고 펼쳐지는 일본 정부의 부정하는 발언을 막는 브레이크가 되지 못하고, 한국의 일방적인 비판을 봉쇄하는 알리바이로 작용할지도 모른다. '합의'는 이미 무효가 아닌 '실효(失效)'했다고 하지 않을 수 없다.

다섯째, 주한 일본대사관 앞에 있는 소녀상 이전과 철거를 마치 교환조건처럼 '합의'에 담았다는 점이다. 한국 정부는 "공관의 안녕과 위엄 유지의 관점에서 우려를 표하고 있는" 일본 정부의 요청을 받아들여 '가능한 대응방향'에 대해 적절히 해결되도록 '노력한다'고 했지만, 이는 피해자와 한국 시민의 감정을 완전히 거스르는 방법이다.

애초 '소녀상'은 '만약 나였다면' 하고 피해여성의 마음을 상상하며 공감하기를 바라는 마음을 담아 민간인이 제작·설치한 것이다. 제작자인 김서경 작가는 "가장 중요한 것, 그것은 사람들과 의사소통할 수 있게 만드는 것이었습니다. 그래서 사람과 똑같은 크기인 등신대로 작고 낮게 만들었습니다"라고 말했다. 소녀상은 일본에서 주장하는 것처럼 '반일의 상징'이 아니라 '위안부'와 같은 불행한 역사를 두 번 다시 되풀이해서는 안 된다는 기억의 계승과 평화를 희구하는 사람들의 염원을 상징한다.

2016년 1월 26일, 자민당은 주한 일본대사관 앞에 설치된 소녀상의 조기철거 등을 요구하기로 결의했다. 아베 총리도 소녀상 철거를 10억 엔 출연의 조건처럼 말하고 있다. 하지만 일본이 철거와 이전을 집요하게 요구한다면, 10억 엔은 철거비용이 되고 '합의'는 기억봉인의 서약서라는 최악의 시나리오가 되고 말 것이다.

과거의 역사를 되돌아볼 때, 일본과 자주 비교되는 나라가 독일이다. 독일에서 주목할 것은 가해자로서의 과거를 사람들의 기억에 단단히 새기려는 자세(결의)다. 예를 들어, 독일뿐만이 아니라 유럽의 여러 도시에 '세로 10cm×가로 10cm×높이 10cm'의 놋쇠로 만든 기념물인 슈톨퍼슈타인(Stolperstein, 나치에 의해 부당하게 희생당한 사람들에 대한 기록이 적혀 있는 작은 판 — 옮긴이)이 나치 독일의 피해자(살해, 강제수용소 이송·추방·자살 등)가 살았던 집 앞의 길에 설치되어 있다. 베를린에만 4,500개가 넘는 슈톨퍼슈타인이 존재한다. 이는 조각가 군터 뎀니히(Gunter Demnig)에 의해 만들어졌는데, "그 역사와 피해당한 사람을 잊지 않기를, 역사를 풍화시키지 않기를, 일상생활 속에서 항상 기억하기를"

이라는 마음이 담겨 있다고 한다. 관공서에서 슈톨퍼슈타인 설치를 허락했다고 하니, 반성과 함께 같은 잘못을 두 번 다시 되풀이하지 않겠다는 국가적 맹세의 증거라고도 할 수 있겠다.

주한 일본대사관 앞에 위치한 소녀상의 정식명칭은 '평화비'이다. 소녀는 눈길 너머에서 평화를 보고 있다. 기억의 계승은 '아픔'을 잊지 않는 것이다. 두 번 다시 상처받지 않고 상처주지 않도록, '아픔'은 재발 방지의 브레이크가 되고 평화의 메시지가 된다.

'명예 회복' '존엄 회복'이란?

작년 일본 각지에서 독자 상영한 도이 도시쿠니(土井敏邦) 감독의 〈기억과 함께 산다〉를 보고 오랜만에 마음이 흔들렸다. 그 영화에는 피해 할머니들의 지금보다 젊은 모습이 담겨 있었다. 그동안 몇 번이나 들어왔던 이야기였다. 하지만 20여 년이 지난 지금 그분들의 생생한 목소리를 다시 듣자 법적 책임이나 배상을 요구해온 할머니들의 아픔과 고뇌, 희망이 그대로 느껴졌다.

나눔의 집에서도 부지런했던 김순덕 할머니는 "우리도 자존심이 있어. 우리도 자존심을 되찾고 싶어"라고 중얼거렸다. '위안부'였음을 신고할 때 조카들은 "자식들이 충격받는다"고 말렸지만, 김순덕 할머니는 고민에 고민을 거듭한 끝에 사실을

일본 활동가들이 말하는 한일 '위안부' 합의의 민낯

세상에 알렸다. 그러나 그 후 아들이 넋나간 사람처럼 되었다는 말을 듣고, 정말로 신고하기를 잘했을까 다시 고민에 빠졌다고 한다. '위안부'였던 과거가 가족에게도 딜레마를 안겨주자 침묵이 손짓했다. 하지만 침묵을 뿌리치기라도 하듯 자기 자신에게 들려준 말은 이것이었다.

"우리도 자존심을 되찾고 싶소."

'위안부'였던 여성들이 '위안부'였던 탓에 인생에서 짊어진 짐은 너무도 가혹했다. 15년쯤 전 중국 하이난 섬(海南島)에 조사차 간 적이 있다. 그곳에서 '위안부'였다는 이유로 전쟁이 끝나고 결혼한 남편에게 계속 폭행당해온 여성을 만났다. 그녀는 겁먹은 표정으로 "'위안부'였다고 공개적으로 말하면 또 남편에게 얻어맞아요"라고 말했다.

타이완의 이안 아파이 할머니(타로코 족) 역시 충격적인 경험을 했다. 이파이 할머니는 네 번 결혼했는데, 한 번도 '위안부'였던 자신의 과거를 말하지 않았다. 하지만 그 사실이 남편의 귀에 들어가는 바람에 세 번이나 이혼당했다고 한다.(네 번째 결혼한 남편과는 사별)

하이난 섬의 피해여성이 당한 폭행과 아파이 할머니의 이혼에는 공동체를 지배하는 정조(貞操) 이데올로기(여성의 가치를 정조·순결·처녀성이라고 생각하는 남성 중심의 여성관)가 자리하고 있다. 정조 규범이 강했던 시대(사회)에 일본군에게 성폭행을 당한 여성들은 정조 이데올로기가 만든 수치의 낙인을 두려워해 과거를 숨기며 오직 침묵으로 일관했다. 전후의 침묵은 한국의 피해여성만이 아니라 아시아 각지에서 피해를 당한 여성들의 공통적인 현상이다.

폭력이나 멸시에서 자신을 지키기 위한 침묵은 아내(동포여성)의 과거를 받아들이지 못하는 남성사회의, '여성은 남성의 소유물'이라는 의식이 강요한 '성 불평등'(Gender Inequality)에서 기인한다. 피해자에게 침묵을 강요하는 사회적 낙인과 자기부정(더럽혀진 여자·수치스러운 여자로 내재화함.)은 '침묵의 찬미'가 활개를 치던 시대의 고약한 산물이다.

피해여성들의 존엄 회복이란 사회의 차별을 바로잡는다는 의미이기도 하다. 한편 '합의'에 나와 있는 '명예 회복'은 성폭력 피해자를 향한 '차별과 멸시의 낙인'으로부터 회복된다는 뉘앙스가 담겨 있는데, 원래 성폭력에서 사용되는 '회복'이란 '가족의 명예'를 뜻한다. 즉, 성폭력은 피해자 본인이 아니라 가족의 명예를 침해하는 것이고, 가족이 누려야 할 명예의 보호를 손상시키는 것으로 간주되어왔다. 따라서 '위안부'(성폭력) 문제를 '명예'의 문제로 여기는 것은 이미 만들어져 있는 차별 개념의 토양 위에서 이의를 제기하는 셈이다. 그런 까닭에 '명예의 회복'이라고 할 경우에는 반드시 차별개념의 전환이 이루어져야 한다.

'위안부' 문제는 단순히 명예와 관련된 문제가 아니다. '인간의 존엄'이 손상된 심각한 범죄다. '위안부' 할머니들은 '불명예스러운 존재'가 아니라 범죄의 피해자라는 사실을 잊지 말아야 한다.

인권의식을 키우는 교육

'위안부'였던 여성에게 피해 회복이란 무엇일까. 그것은 그녀들을 '수치'스러운 존재로 생각해 사회 주변으로 소외시키는 부정의를 끊는 것(정의의 회복), 즉 그녀들이 일본군 위안소 정책의 피해자라는 것을 사회가 인식하는 것 아닐까. 그러기 위해선 무슨 일이 있었는지를 후세가 기억하게 하고(역사의 계승), 여성 인권의 시점으로 의무교육과정에서 제대로 가르치며(교과서 기술과 교육), 그 기억을 두 번 다시 되풀이하지 않기 위한 버팀목(기초)으로 삼아야 한다.

'한일합의'에 있는 "일본 정부의 책임 통감", "내각 총리대신으로서 마음으로부터 사죄와 반성의 마음을 표명한다"는 내용은 애초 피해자들이 애타게 기다리던 말이다. 그러나 이것이 피해자의 마음에 진심으로 닿지 않는 것은 비난·비판의 금지나 주한 일본대사관 앞의 '소녀상' 철거를 교환조건처럼 요구하고 있기 때문이다. 과거의 기억을 없애지 않으면 10억 엔을 주지 않겠다는데, 어떻게 그 사죄를 진심이라고 믿을 수 있을까.

또한 '합의'는 한일 간에 한정된 것이다. 그런데 '위안부' 피해여성이 한국에만 있는 것은 아니다. 한국과 북한은 물론이고, 타이완과 중국, 필리핀, 인도네시아(수용소에 있던 네덜란드 여성 포함), 동티모르, 베트남, 말레이시아, 태국, 미얀마, 인도 등 일본군이 침략하거나 점령한 지역의 현지 여성들도 포함된다. 당시 그녀들은 협박을 당하거나 권력 남용에 의해 난폭하게 끌려갔다. 한편 속임을 당하거나 '국가를 위해' 보내진 일본 여성도 예외는 아니다. 이처럼 '위안부' 문제는 한일 양국만의 문제가 아니므로 보편적인 해결이 필요하다.

지금 이 순간, 독일의 전 대통령 요하네스 라우의 사죄가 뜨겁게 떠오른다.

"우리는 모두 범죄의 희생자가 금전으로 보상되지 못함을 알고 있습니다. 우리는 모두 수백만의 남녀에게 가해진 고통을 되돌릴 수 없음을 알고 있습니다. 또한 많은 분에게 돈은 그렇게 중요한 것이 아님을 알고 있습니다. 강제노동자들은 자신들의 고통이 고통으로 인정받기를 원하고, 자신들에게 가해진 불의가 불의라고 불리기를 원합니다."

가해를 마주하는 일은 가해국 일본에 사는 우리의 역할이자 책무이다.

한일합의에 관한 법적 비판

川上詩朗

가
와
카
미

시
로

변호사

머리말

2015년 12월 28일, 일본 기시다 후미오 외상과 한국의 윤병세 외교부장관은 일본군 '위안부' 문제에 관해 합의하고 공동기자회견을 했다.

뜻을 같이하는 우리 변호사들은 2015년 12월 30일 성명을 발표해 한일합의의 문제점과 '위안부' 문제의 진정한 해결을 향한 방향성을 명확히 제시했다.

여기서는 이 성명을 참고로 한일합의의 요점에 대해 논한 뒤, 한일합의에 포함된 법적 문제 중 특히 중요하다고 생각되는 부분을 이야기하고자 한다.

한일합의의 내용

1   사실·책임·사죄

한일합의에는 첫째, '위안부' 문제가 당시 군의 관여 하에 다수 여성의 존엄에 깊은 상처를 입힌 문제라는 것(사실), 둘째, 이런 관점에서 일본 정부는 책임을 통감하고 있다는 것(책임), 셋째, 아베 총리가 일본의 내각 총리대신으로서 다시 한 번 '위안부'로 많은 고통을 경험하고 심신에 치유하기 어려운 상처를 입은 모든 분에게 마음으로부터 사죄와 반성의 마음을 표명한다(사죄)고 되어 있다.

여기에서 표명한 사실·책임·사죄에 관한 부분은 고노 요헤이 관방장관 담화(고노 담화)나 여성을 위한 아시아 평화국민기금(아시아여성기금)에 보낸 총리의 편지 구절과 거의 같다. 단, 당시 총리의 편지에는 '도의적 책임을 통감한다'고 쓰여 있었지만, 한일합의에서는 '도의적'이라는 문구가 삭제되었다.

2   마음의 상처를 치유하는 조치

이번 한일합의에서는 일본 정부가 해야 할 '모든 위안

부 분들의 마음의 상처를 치유하는 조치'(본건 조치)를 언급하고 있다. 본건 조치는 '일본 정부'가 강구하기로 하였다. 구체적으로는 한국 정부가 재단을 설립하며, 일본 정부의 예산으로 자금을 일괄 출연한다. 그리고 한일 양국 정부가 협력해 '모든 위안부 분들의 명예와 존엄의 회복, 마음의 상처 치유를 위한 사업'(명예회복 등의 사업)을 실시한다고 되어 있다. 공동기자회견에서는 일본 정부가 출연할 예산이 약 10억 엔이라고 했다. 현시점에서 명예 회복 등의 사업 내용은 정해지지 않았다.

3 최종적 및 불가역적 해결

일본 정부가 본건 조치를 착실히 시행한다는 것을 전제로 한일 간의 '위안부' 문제가 '최종적 및 불가역적으로 해결될 것'을 확인하고 있다.

내용상 '최종적 및 불가역적으로 해결되기' 위한 전제조건은 본건 조치의 착실한 시행이다. 따라서 본건 조치의 내용이 구체적이지 않고 시행되지도 않은 현 단계에서는 아직 최종적 및 불가역적으로 해결되었다고 할 수 없다.

4 상호 비난·비판의 자제

한일합의에서 양국 정부는 유엔 등 국제사회에서 '위안부' 문제에 관해 상호 비난·비판을 삼가기로 했다. 그런데 한일 외교장관의 발언에서 약간의 차이가 보인다. 윤병세 외교장관이 상호 비난·비판의 자제에 관해 일본 정부가 발표한 본건 조치의 착실한 시행이 전제라고 말한 것에 대해, 기시다 외상은 그 점을 명확히 하지 않았다. 한일 정부의 입장에 따라 여러 가지 해석이 가능하다.

5 소녀상에 대한 적절한 해결

한국 정부는 주한 일본대사관 앞의 소녀상에 대해, 가능한 한 관련 단체와 협의해 '적절히 해결되도록 노력한다'고 했다.

한일합의에서는 소녀상을 '이동'이 아닌 적절한 '해결'이라 표현했으며, 소녀상 문제는 한국 정부의 노력 의무에 머물렀다.

6 역사연구, 역사교육, 재발방지 결의에 대한 언급 없음

고노 담화의 경우 "우리는 역사연구, 역사교육을 통해 이런 문제를 오래도록 기억에 남기며, 같은 과오를 결코 반복하지 않겠다는 굳은 결의를 다시금 표명한다"고 명기되어 있다. 그러나 한일합의에서는 이 점을 언급하지 않았다.

따라서 한일합의가 고노 담화의 취지를 바탕으로 진행된 것인지 불분명하다.

7 결론

이처럼 한일합의는 불명확한 점이 많고, 한일 양국 정부가 자의적으로 해석할 수 있는 여지가 있다.

사실과 책임, 사죄를 언급한 부분은 고노 담화의 구절과 유사하지만, 고노 담화에서 말한 역사연구, 역사교육을 통해 '위안부' 문제를 오래도록 기억하고 '위안부' 문제의 재발을 방지하는 것에 대해서는 언급되지 않았다.

재발방지 조치 등은 일본 내에서 이루어져야 하므로, 이를 한국 정부가 설립하는 재단의 사업목적으로 삼기는 어려우리라. 그렇다면 재단사업과 별도로 재발방지 조치 등을 실시해야 한다. 그런데 한일합의를 보면 그러한 조치 등을 실시하지 않아도 '위안부' 문제의 '최종적 및 불가역적 해결'이 가능하다. 즉, 고노 담화의 일부가 실현되지 않더라도 '위안부' 문제가 최종적 및 불가역적으로 해결되었다고 주장할 여지를 남긴 것이 한일합의이다.

일본 정부가 재발방지 조치 등의 실시를 거부한다면, 한일합의는 '위안부' 피해자가 계속 요구해온 주장에 비추어볼 때 결코 만족스럽지 못한 결과물이라고 할 수 있다. 또한 고노 담화에 비추어보더라도 후퇴했다고밖에 할 수 없을 것이다.

한일합의의 근본적 문제는 피해 실태와 가해 책임에 대한 인식 부족

1___국제사회의 '위안부' 문제 인식 | 성노예제·범죄·중대한 인권침해

1990년대에 '위안부' 피해자의 고백이나 관계자료의 발견 등을 통해 '위안부' 문제는 일본 안팎에서 주목을 받게 되었다. 그 후 국제법률가위원회의 최종보고서(1994년), 베이징 세계여성회의(1995년), 쿠마라스와미 보고서(1996년), 맥두걸 보고서(1998년) 등을 통해 '위안부'가 노예조약 1조 1항에서 규정한 노예제도로, 그 밑에서 조직적이고 지속적으로 성적 행위가 강요되었음(성노예제)이 밝혀졌다.

한편 국제사회에서는 옛 유고슬라비아나 르완다의 무력분쟁 하에서 여성에 대한 성적 폭력 등이 문제가 되었다. 옛 유고슬라비아 국제형사법정(1993년), 르완다 국제형사법정(1994년) 등 각 국제형사법정 규정의 흐름을 이어받아 국제형사재판소 규정(로마규정, 1998년)이 정해졌다. 이를 통해 '반인도적 범죄'나 '전쟁범죄'에 '성적 노예'라는 범죄구성 요건이 정해졌는데, 일본군 '위안부'가 '성적 노예'의 전형적 사례라는 견해가 확산되었다.

현재 국제사회에서 '위안부'는 성노예이자 범죄를 구성하는 중대한 인권침해로 인식되고 있다.

2 일본 정부의 '위안부' 문제에 대한 인식 | 강제성·성노예제 부정

한일합의에서 '위안부' 관련하여 "당시 군의 관여 하에 다수 여성의 명예와 존엄에 깊은 상처를 입힌 문제"라고 했지만, 일본 정부는 여전히 강제성·성노예제를 부정하고 있다.

아베 총리는 한일합의 후 국회 심의에서 군이나 관헌에 의한 강제성을 부정하고, 성노예라는 표현이 부적절하다는 기존의 견해를 되풀이했다. 또한 한일합의에서 "전쟁범죄에 해당하는 유형을 인정한 것은 아니다"라고 하며, 해외 언론이 '위안부'를 성노예로 보도하는 것에 관해 "올바르지 않은 사실에 의한 비방과 중상"으로 정부를 대표해 오류를 지적하고 싶다고 답변했다. 이처럼 '위안부' 문제에 대한 일본 정부의 인식에는 변함이 없으며, 국제사회의 인식과도 여전히 거리가 멀다.

3 인권보다 정치적·외교적 문제 중시

아베 총리는 이번 합의에 대해 "오랫동안 한일 사이에 가시로 박혀 있던 '위안부' 문제를 최종적 및 불가역적으로 해결한 것"으로, 더욱 냉엄해지고 있는 아시아태평양 지역의 안전보장환경 하에서 한일 협력에 "그림자를 드리우던" 이 문제가 최종적 및 불가역적으로 해결된 것은 "일본의 안전보장에도 커다란 의의가 있다"고 말했다.

'위안부'가 정치적·외교적 문제의 측면이 분명히 있지만, 본질은 어디까지나 인권문제다. 한일합의의 의의는 일차적으로 인권문제 해결의 관점에서 언급되어야 한다. 하지만 한일합의 후 국회 심의에서도 그 점에 대해 제대로 다루어지지 않았다.

4 결론

'위안부' 문제가 중대한 인권문제라면 그것에 대해 법적 구제가 이루어져야 한다. 그리고 그 부분이 문제 해결의 기본이 되어야 한다. 그러나 한일합의만으로는 명확하지 않다. 오히려 한일합의 후 국회 심의 등에서 안전보장문제 등 국익 추구의 장애물 제거 차원에서 정치적·외교적 문제가 해결되었다는 부분이 강조되고 있다. 근본적인 원인은 '위안부'의 피해 실태와 그에 대한 일본의 가해책임에 대한 인식이 불충분하기 때문 아닐까. '위안부' 문제의 피해 실태와 가해책임을 정확하게 인식하고, 그것을 중대한 인권문제로 바라보는 것이 법적 해결의 출발점이다.

한일합의를 계기로 '위안부' 문제의 법적 해결을 도모하려면, 강제성을 부정하거나 국제사회가 '위안부' 제도를 성노예제로 이해하는 것에 반박하려는 자세를 우선적으로 고쳐야 한다. 오히려 일본 정부는 상황에 대한 이해와 가해책임을 깊이 인식하고, 다시는 같은 잘못을 되풀이하지 않도록 노력해야 한다. 그것이 '위안부' 문제를 법적으로 해결하기 위한 출발점이다.

책임과 배상에 대해

1 문제의 소재

한일합의에서 일본 정부는 일정하게 사실을 인정한 뒤 '책임을 통감'하고, 본건 조치를 위해 약 10억 엔을 출연해 명예회복 등의 사업을 실시하겠다고 했다. 현시점에서는 사업내용이 구체적으로 공표되지 않았지만, 적어도 '위안부' 피해자 개인에게 금전이 지급되는 것은 확실한 것 같다.

그런 경우 한일합의의 '책임'이 법적 책임인지, 또 피해자 개인에게 지급되는 금전(지급금)이 배상금인지가 문제가 된다. 배상금은 손해배상 성립을 전제로 지급되는 것이므로, 지급금이 배상금 성격을 띠려면 일본의 법적 책임이 인정되어야 한다.

아시아여성기금의 '쓰구나이금'(償い金. 한국어로 '보상금'이라고 번역할 수 있지만, 일본의 법적 책임을 전제로 한 보상이나 배상과는 본질적으로 다르다.―옮긴이)을 둘러싸고 이와 비슷한 논의가 있었다. 하지만 일본 정부는 일본이 져야 할 책임은 법적인 것이 아니라 도의적 책임이고, '쓰구나이금'은 배상금이 아니라는 견해를 밝혔다. 그것은 앞에서 언급한 일본 총리의 편지에 "도의적 책임을 통감한다"고 쓰여 있는 것에서도 알 수 있다. 한편, 한일합의에는 '도의적'이라는 말이 포함되어 있지 않다.

또 일본 정부는 예산에서 아시아여성기금을 출연했지만, 그것은 의료복지 지원사업이나 재단 운영비에 충당되고, '위안부' 피해자 개인에게 지급하는 '쓰구나이금'은 민간 모금으로 충당하기로 했다. 피해자 개인의 배상청구권 문제는 샌프란시스코 강화조약이나 한일청구권협정 2조 1항 등 두 나라 간 조약을 통해 이미 법적으로 끝났다는 입장(법적 해결 완료론)이다. 피해자 개인에게 '쓰구나이금'을 지급하는 것은 허용되지 않는다고 해석한 것이다. 하지만 한일합의를 보면 일본 정부의 예산 출연금에서 피해자 개인에게 돈을 지급할 가능성도 있다.

한일합의는 아시아여성기금과 이러한 부분에서 차이를 보인다. 즉, '책임'의 성격이나 피해자 개인에 대한 지급금의 성격이 문제가 된다.

2 한일 양국 정부의 견해

이 점에 관해 한국 정부는 2005년 국무총리를 공동위원장으로 한 '민관공동위원회' 결정을 통해 견해를 분명히 밝혔다. 일본 정부 등의 국가권력이 관여한 '위안부' 문제 등 '반인도적 부정행위'에 대해서는 협정 2조 1항에 의해 해결했다고 볼 수 없고, 일본의 법적 책임이 인정된다는 것이다. 그에 따르면 일본에 대한 '위안부' 피해자 개인의 손해배상청구권은 소멸하지 않았고, 일본의 지급금은 그 청구권에 대응한 배상금이 된다. 이에 대해 일본 정부는 한일합의 이후의 국회 심의에서

협정 2조 1항에 의해 법적으로 모두 끝났다는 견해에 변함이 없다고 거듭 답변했다.

'위안부' 피해자 개인의 배상청구권을 둘러싸고 한일 정부의 견해에 차이가 있는 가운데, 한일합의에서 언급한 일본의 '책임'을 어떻게 이해해야 좋을까.

3 　법적 책임과 배상 | 일본 최고재판소의 판단

이 문제를 검토하는 데 참고될 만한 것이 있다. 중국인 '위안부' 피해자가 일본을 상대로 손해배상 지급을 요구한 사건에 관한 일본 최고재판소의 판결(2007년 4월 27일)이다.

이 재판에서 샌프란시스코 강화조약과 중일 공동성명의 "청구권을 방기(放棄, 내버리고 돌아보지 아니함.)한다"는 표현이 문제가 되었다. 최고재판소는 이 조문의 의미에 대해 "청구권을 실체적으로 소멸시키는 것까지 가리키는 것이 아니라 해당 청구권에 근거해 재판상 소구(訴求, 소송에 의해 권리를 행사함.)할 기능을 잃어버리게 하는 것에 머문다"고 판시했다.

또한 최고재판소는 같은 날 제출한 중국인 강제연행 피해자 사건에 관해서도 앞에서 말한 것과 같은 논리로 조문을 말한 다음, "구체적인 개별 청구권을 그 내용 등에 비추어 보고, 가해자 측에서 임의로 자발적으로 대응하는 것은 방해할 수 없다"고 판시했다. 재판상의 청구는 인정되지 않지만 재판절차 밖에서 배상받을 수 있는 청구권은 남아 있고, 가해자가 피해자 개인에게 자발적으로 돈을 지급하는 것은 법적으로 허용된다고 판단한 것이다.

최고재판소의 이러한 논리는 일본의 전후 배상문제 처리에 공통적이며 타당하다고 볼 수 있으므로, 한일협정 2조 1항의 해석에도 해당한다고 볼 수 있다. 즉, '위안부' 피해자 개인의 일본에 대한 손해배상청구권은 인정되지 않지만 재판절차 밖에서는 배상받을 길이 있다고 해석할 수 있을 것이다.

그렇다면 적어도 실체적인 청구권이 남아 있다고 볼 때, 일본의 법적 책임을 인정하는 것이 가능해진다. 피해자 개인에 대한 지급금을 소멸하지 않은 실체적 청구권에 대응해 지급되는 것이라고 정함으로써, 그런 의미에서는 배상금이라고 부르는 것도 가능하다.

4   결론

일본 정부는 지금까지 '위안부' 피해자 개인의 배상청구권에 대해 이미 법적 해결이 끝났다고 주장할 뿐, 그 내용을 설명하지 않았다. 따라서 '위안부' 피해자 개인의 배상청구권이 모두 소멸해 법적 책임을 인정할 수 없다는 식의 오해를 만들어 왔다. 일본 정부의 이러한 대응은 오도적(誤導的. Miss Leading)이라 하지 않을 수 없다.

한일합의를 계기로 피해자가 받아들일 수 있도록 '위안부' 문제를 인권적 측면에서 접근하려면 해결이 끝났다는 말만 되풀이하는 지금까지의 자세를 바로잡아야 한다. 그리고 적어도 피해자 개인의 배상청구권이 실체적으로 존속한다는 것을 인정해야 한다.

그러려면 '위안부'들이 입은 피해가 중대한 인권침해로, 일본 정부와 군의 관여는 당시 국제법이나 국내법 위반으로 불법행위가 성립하고 손해배상청구권이 발생한다는 점을 받아들여야 한다. 뿐만 아니라 협정 2조 1항에 의해서도 해당 손해배상청구권이 실체적으로 소멸하지 않고 남아 있음을 인정해야 한다.

일본 최고재판소의 논리를 전제로 일본 정부가 문제 해결에 임한다면, 한일 양국 사이에 존재하는 책임을 둘러싼 이해의 차이를 극복하고 '위안부' 피해자들이 요구해온 법적 해결이 충분히 가능할 것이다.

최종적 및 불가역적 해결이 아닌 이유

1 문제의 소재

한일합의에서는 명예회복 사업 등 본건 조치가 시행되는 것을 전제로 '위안부' 문제가 '최종적 및 불가역적으로 해결' 되었다고 이야기한다. 이에 대해 '위안부' 피해자들은 크게 반발하고 있다. 피해자가 받아들이지 않는데 '최종적 및 불가역적으로 해결'되었다고 할 수 있을까. 이 문제에 대해 법적인 관점에서 몇 가지를 검토하고자 한다.

2 한국 헌법재판소의 결정

앞에서 말한 것처럼 협정 2조 1항에서 '위안부' 피해자 개인의 배상청구권 소멸 여부를 둘러싸고 한일 정부 간 해석의 차이가 있지만, 협정 3조에 '해석상의 분쟁'은 일단 '외교상의 경로'를 통해 해결하고(1항), 그것에 의해 해결할 수 없는 분쟁은 중재위원회를 설치해 해결하도록 정해놓았다(2항·3항).

이 점에 대해 한국 헌법재판소는 한국 정부가 '외교상의 경로'를 통해 해결해야 할 일을 게을리하고 있다며 헌법 위반 결정을 내렸다(2011년). 그로 인해 한국 정부는 일본 정부에 '위안부' 문제 해결을 위한 협의를 신청하고, 교섭을 거듭한 끝에 이번 한일합의를 이끌어냈다.

3 한일합의의 법적 구속력

그러면 한국의 헌법재판소에서 지적한 문제가 한일합의로 해결된 것일까.

한일합의는 문서로 만들어지지 않았으므로 '조약'이라고 할 수 없지만[조약법에 관한 빈 협약 2조 1항(a)], 일정한 법적 효력이 인정될 가능성은 있다[동 협약 3조(a)]. 그러나 법적 효력이 인정된 경우에도 그것에 의해 협약 2조 1항을 둘러싼 한일 정부의 해석상 분쟁이 결착될지는 분명하지 않다.

이론적으로 한국 정부는 국가 간 합의에 의해 '위안부' 피해자 개인의 배상청구권을 소멸시킬 수 없다는 견해를 갖고 있다. 따라서 한일합의가 '위안부' 피해자의 배상청구권에 영향을 미치지 않는다. 이는 일본 최고재판소의 논리를 따르더라도 마찬가지이다. 적어도 실체적인 손해배상청구권에 관해서는 한일합의의 영향을 받지 않는다.

결국 한일합의에서 '위안부' 피해자 개인의 손해배상청구권에 관한 양국 정부의 해석상 차이가 유지되고 있다면, 한일합의 이후에도 한국 헌법재판소가 지적한 '해석상의 분쟁'이 여전히 존재할 것이다. 그런 의미에서 한일합의는 최종적 해결이라고 할 수 없다.

4 피해자가 받아들이지 않으면 법적인 최종해결은 불가능

한국 정부의 견해에 따르면 '위안부' 피해자의 배상청구권은 소멸하지 않았다. 또한 일본 최고재판소의 논리에 따르더라도 실체적으로는 배상청구권이 소멸하지 않았다고 할 수 있다. 따라서 피해자 자신이 배상청구권 처리에 동의하지 않을 경우 법적으로 '위안부' 문제의 최종적 해결은 불가능하다.

다시 말해 국가 간에 아무리 최종적 및 불가역적 해결이라 이야기하더라도 피해자가 자신의 배상청구권 처리를 받아들이지 않으면, 즉 '위안부' 피해자나 국제사회가 계속 요구해온 내용이 실현되지 않으면 법적인 최종해결은 어렵다고 할 수 있겠다.

진정한 해결법은 무엇인가

1 피해자 및 국제사회의 요구사항

유엔 자유권규약위원회·고문금지위원회·여성차별철폐위원회 등 국제기관은 '위안부'가 성노예제이고 범죄라는 인식을 전제로, 문제 해결을 위한 의견을 거듭 표명해왔다.

또한 2014년 6월 2일, 제12차 일본군 '위안부' 문제 아시아연대회의에서 〈일본군 '위안부' 문제 해결을 위해〉라는 제목의 제언을 공표했다. 그리하여 '위안부' 문제가 여성에 대한 중대한 인권침해라고 규정한 뒤, 일본 정부와 군이 군의 시설로써 위안소를 입안·설치하고 관리·통제했다는 것, 그것이 당시 국내법·국제법을 위반하는 중대한 인권침해였다는 사실과 그 책임을 인정할 것, 번복할 수 없는 명확하고 공식적인 방법으로 사죄할 것, 사죄의 증거로써 배상할 것, 진상규명을 위해 일본 정부의 자료를 전면 공개할 것, 교과서 기술을 포함해 학교교육과 사회교육을 실시하고 잘못된 역사인식에 근거한 공인의 발언에 대해 명확하고 공식적으로 반박할 것 등의 재발방지 조치를 요구했다.

이 제언은 아시아 여러 나라의 '위안부'와 지원자가 관여하고, 그들의 합의를 거쳐 작성되었다. '위안부' 문제가 중대한 인권침해임을 전제로, 법적 구제를 구체화했다고 할 수 있다.

2 일본 정부의 태도 변화를 촉구한다

아베 총리는 국회 심의에서 일본군 '위안부' 피해자들에게 직접 사죄하라는 야당 의원의 요구에, 외교장관회담이나 박 대통령과의 전화통화에서 본인의 생각을 전함으로써 "해결되었다"고 하고, 같은 일을 되풀이하면 "최종적 및 불가역적으로 끝난 것이 되지 않는다"면서 직접 말하기를 거부했다.

그러나 그런 자세를 '위안부' 피해자들이 받아들이기는 어려울 것이다. '위안부' 문제를 해결하기 위해서는 일본 정부가 지속적으로 사죄와 반성의 마음을 표명해야 한다. 그와 동시에 피해자가 받아들일 수 있도록 끊임없는 노력을 직접적으로 보여주어야 한다. 여기에는 '위안부'의 피해를 부정하는 말에 단호히 반박하는 등의 일관된 자세를 보여주는 일도 포함된다.

그런 노력이 계속되어야 피해자나 유족, 지원자에게 신뢰를 얻을 수 있다. 그리고 일본군 '위안부' 문제의 최종적 해결에 다가갈 수 있다. 양국 정부가 만나 "최종적 및 불가역적 해결을 확인했다"고 해서 일본군 '위안부' 문제가 최종적으로 해결되는 것은 결코 아님을 알아야 한다.

맺음말

지금까지 살펴본 것처럼 '위안부' 문제를 최종적으로 해결하기 위해 근본적인 책임을 져야 할 곳은 일본 정부다. 일본 정부가 국회 심의에서 답변한 것과 같은 자세를 계속 취한다면 진정한 해결은 요원할 수밖에 없다.

이 글을 통해 일본 정부에 다시 한 번 촉구한다. 지금까지의 자세를 바로잡고, 피해자와 국제사회의 지속적인 요구에 성실히 응하기를 바란다.

성노예제란
무엇인가

'위안부' 문제의
법적 고찰

前田朗

마에다 아키라

노리코에네트 공동대표·도쿄조케이대학 교수

이 글의 과제

이번 한일합의는 '위안부' 문제에 관한 여러 논점과 관계가
있다. 지금부터는 '위안부' 문제의 노예제, 성노예제의 관점에
서 검토해온 법적 논의를 재정리하고, 한일합의의 한계를 이야
기할 것이다.

한일합의를 보면 "당시 군의 관여 하에 다수 여성의 명예와
존엄에 깊은 상처를 입힌" 것에 대해 "일본 정부는 책임을 통
감한다"고 되어 있다.

그러나 그 후 일본 정부는 "성노예라는 말은 부적절하다",

"강제연행 사실은 확인할 수 없었다" 등의 일방적 주장을 늘어놓았다. 과거 아베 총리가 사견으로 말하거나 일부에서 주장해온 내용인데, 한일합의 후에는 정부의 정식 견해로써 계속 목소리를 높이고 있다.

뿐만 아니라 여성차별철폐조약에 근거한 여성차별철폐위원회에 보내는 일본 정부의 보고서에서도 사실을 부정하고 책임을 회피하는 내용을 찾아볼 수 있다. 국제사회에 일본 정부의 견해를 밝히겠다는 아베 총리의 방침에 따라 일본 정부는 지금까지 인정해오던 것을 뒤집었다. 그리고 여러 증거를 무시한 궤변을 정부의 견해로 내보내기 시작했다.

이것은 1990년대에 이미 유엔 인권기관에서 논의되어 결론이 난 문제다. 그럼에도 일본 정부는 새로운 증거도 제출하지 않고 근거가 불명확한데도 국제사회를 향해 일방적으로 목소리를 높이기 시작했다. 논점은 여러 방향에 걸쳐 있지만, 기본적으로 다음과 같다.

첫째, 국제법상 노예제, 성노예제의 정의다. 성노예제란 무엇인가를 정의하지 않으면 성노예제 여부를 판단할 수 없다. 그런데 아베 총리를 비롯한 일본 정부는 국제법상 노예제의 정의(뒤에서 설명)를 무시한다. 매스컴이나 일부에서 주장하는 강제연행 부정론도 국제법을 의도적으로 무시한 채 "강제연행은 없었다"는 주장과 "노예제가 아니었다"는 주장을 혼동하고 있다.

'위안부'가 성노예제였는지를 판단하는 데 강제연행 여부는 기본적인 요인이 아니다. 강제연행이 없었어도 노예는 노예다. 그러나 아베 총리는 마치 강제연행이 조건의 전부인 것처럼 주장한다. 중국이나 동남아시아에서 '위안부' 강제연행의 증거는 수두룩하다. "조선에서 일본군이 강제연행을 명령하고 스스로 행했다는 증거(공문서)는 없다"는 말로 강제연행을 부정해봤자 설득력이 없다. 그런데 지금도 여전히 무의미한 주장을 되풀이하고 있다.

둘째, '위안부' 문제의 법적 고찰에서 당시 일본 국내법의 검토는 필수적이다. 그 당시 일본의 국내 형법을 살펴보면 국외 이송목적 유괴죄, 미성년자 유괴죄를 비롯해 유괴죄의 규정이 중요하다는 사실을 알 수 있다. 실제로 일본에서 유괴죄가 적용되었음(뒤에서 설명)에도 일본 정부는 식민지에서 유괴죄를 적용하지 않은 채 사태를 방치했음이 밝혀졌다.

셋째, '군의 관여'를 둘러싸고 이루어진 논의다. 여기에서는 '군의 관여'와 '업자의 실행행위'를 비교하여, 후자가 있었다는 이유로 전자를 부정하는 기묘한 논법이 제기된다. '군의 관여'란 어떠한 사태인지, 국제법에서 국가책임은 어떤 경우에 적용되는지 확인할 필요가 있다.

지금부터 이러한 논점을 중심으로 '위안부' 문제의 법적 고찰을 시작하기로 한다.(기타 법률은 가와카미 시로의 글 참조)

국제법에서의 성노예제

1　성노예제의 정의

　'위안부' 문제에서 성노예제, 전시(戰時) 성노예제라는 표현을 채택한 것은 유엔 인권기관이다. 1990년대 초반, 유엔 인권위원회와 그 하부기관인 차별방지소수자보호소위원회(유엔인권소위원회)에서 '위안부' 문제의 기본적 사실과 법적 해결을 둘러싼 논의가 거듭됐다.[1]

　그 결과 라디카 쿠마라스와미 '여성폭력문제 특별보고관'이 '위안부' 문제를 조사하면서 한국과 일본을 방문해 두 정부에게 자료를 제출받았다. 그리고 〈위안부 문제 보고서〉를 작성해 1996년 유엔 인권위원회에 제출했다. 이 보고서는 논의 끝에 만장일치로 채택되었다.

　쿠마라스와미 보고서에서는 '전시에 군에 의해, 또는 군을 위해 성적 서비스를 하도록 강요받은 여성의 사건을 군사적 성노예제의 관행'이라고 정의했다.[2]

　① '군에 의해, 또는 군을 위해'라는 말에서 알 수 있듯이, 군이 스스로 한 경우뿐만 아니라 민간업자가 군을 위해 한 경우도 포함된다.
　② '성적 서비스를 하도록 강요받은 여성'이란 말에서 알 수 있듯이 핵심은 성적 서비스의 강요다. 강제연행은 본질적인 요인이 아니라 성적

서비스의 수단에 불과하다.

1998년에는 게이 맥두걸 유엔 인권소위원회 특별보고관이
관련 문제를 조사해 〈위안부 문제 보고서〉를 제출했다.[3]

① 노예제의 정의에는 자기결정권, 이동의 자유, 자기의 성적(性的) 활동
에 관한 사항의 결정권 제한 등의 개념도 포함되어 있다. 개인적으로
피해를 당할 심각한 위험을 감수하면서 노예상태에서 도망칠 수 있
었다고 해도, 그것만으로 노예제가 아니라고 해석해서는 안 된다. 노
예상태에서 느끼는 위해(危害)에 대한 당연한 두려움과 위압을 어떻게
받아들일지는 모든 경우 피해자의 주관과 젠더 의식에 근거한 분석이
이루어져야 한다.

② 성노예제에는 전부는 아니라고 해도 대부분 강제매춘이 포함된다. …
무력분쟁 하에서는 강제매춘이라고 부를 수 있는 상황이 대부분 성노
예제에 해당하므로 노예제로 특징짓는 편이 더 적절하고 쉽게 소추할
수 있을 것이다.

쿠마라스와미 보고서와 맥두걸 보고서의 전제가 된 것은 20
세기 초반의 국제조약으로, 특히 추업조약醜業條約(추업 : 매춘업)
과 노예조약이다.

또한 이 과정에서 첫째, 국제사회에서 인권 존중을 내건 국제

인권법의 급속한 발전을 볼 수 있다. 1993년의 빈 세계인권회의, 같은 해 유엔의 여성에 대한 폭력 철폐선언, 1995년 베이징 세계여성회의를 비롯해 국제인권법이 크게 진전되던 시점에 과거의 역사를 따진 것이다. 그 후 2001년의 더반 인종차별반대 세계회의에서 노예제 비판은 정점을 이룬다.

둘째, 국제인도법도 비약적으로 발전했다. 1940년대에 나치 독일이나 일본 군국주의의 전쟁범죄를 판결한 뉘른베르크 및 도쿄 재판 이후, 일부 일본 국내법에 따라 전쟁범죄에 대한 책임추궁이 이루어졌지만 국제사회는 이것에 대처할 수 없었다.

그러나 1990년대에 접어들면서 1993년 옛 유고슬라비아 국제형사법정과 르완다 국제형사법정에서 전쟁범죄와 반인도적 범죄 처벌을 재개했다. 이어 1998년 전 세계의 전쟁범죄를 재판하는 보편적 관할권을 지닌 국제형사재판소 설립 규정이 채택되었고, 현재 네덜란드 헤이그에 위치한 국제형사재판소에서 그 일을 담당하고 있다. 이 과정에서 전시 성폭력을 반인도적 범죄인 강간과 성노예제로 재판하는 규범이 형성·확립되었다. 옛 일본군의 '위안부' 문제를 둘러싼 논의는 이러한 국제동향과 밀접한 관계를 맺고 추진되었다고 할 수 있다.[4]

2 백색노예조약(추업조약)

1910년의 추업부(醜業婦, 매춘부) 단속에 관한 국제조약(추업조약. 백색노예조약이라고도 함. 백색노예란 19세기 미국에서 강제적으로 매춘에 종사하는 등의 성적 학대를 받은 여성들을 지칭하는 개념)은 성적 서비스의 강제에 관한 중요한 초기 조약이다. 그 밖에도 동 협정이나 부인(婦人) 등에 대한 매매금지조약이 있지만, 여기에서는 1910년 조약을 살펴보고자 한다.

> **제1조** 어떤 사람이라도 타인의 욕정을 만족시키기 위해 매음할 의사로 미성년 부녀를 고용, 유인, 또는 유혹하는 자는 가령 본인의 승낙이 있더라도 또한 범죄성립의 요소인 각종 행위가 다른 나라에서 이루어졌더라도 처벌한다.
>
> **제2조** 어떤 사람이라도 타인의 욕정을 만족시키기 위해 매음할 의사로 사위, 폭행, 강박, 권세 기타 강제적 수단으로 성년 부녀를 고용, 유인 또는 유혹한 자는 가령 범죄구성의 요소인 각종 행위가 다른 나라에서 이루어졌더라도 처벌한다.

제1조는 미성년 여성[본 조약에서는 21세 이하(일본 정부는 18세 이하로 유보)]에 대해 가령 본인의 승낙이 있어도 유인·유혹을 범죄로 규정한다.

제2조는 성년 여성에 대해 사위(詐僞, 사기), 폭행, 강박, 권세 기타 강제적 수단에 의한 유인·유혹을 범죄로 규정한다. '사위 등'은 '강제적 수단'의 예로 명시되어 있다.

일본 정부는 이 조약을 비준했지만, 식민지에는 적용하지 않겠다고 유보선언을 했다. 위의 사항에서 '강제가 있었는지 여부'로 축소해보면 다음과 같이 말할 수 있다.

첫째, 일본군에게 '위안부'가 된 대단히 많은 미성년 여자(개중에는 15세나 16세 소녀도 많았음.)의 경우 본인의 동의능력이 없으므로 모두 제1조에 해당한다. 따라서 '강제'였다고 할 수 있다. 다만 조약이 일본에 적용되지 않았다면, '범죄'로 처벌하지 않았다고 해서 조약 위반이라고는 할 수 없다.

둘째, '위안부'가 된 성년 여성 중 사위에 속아 끌려간 사안은 '강제'였다. 단 조약이 일본에 적용되지 않았다면, '범죄'로 처벌하지 않았다고 해서 조약 위반이라고까지는 할 수 없다.

다음에 거론하는 국외이송목적 유괴죄의 대심원(일본 최고재판소) 판결 이후, 일본 정부는 '도항 규제'를 개정해 일본 본토에서의 작부 도항을 금지했다. 그러나 식민지인 조선 등에서의 작부 도항은 금지하지 않았다. 일본 정부는 추업조약을 식민지에 적용하지 않기로 했는데, 이는 조선 등에서 '위안부'를 쉽게 연행하기 위한 것이었다.

3 노예조약

1926년의 노예조약은 '노예의 금지'와 '노예 거래의 금지'를 들고 있다. 노예의 정의는 제1조에 규정되어 있다.

<u>제1조</u> 이 조약의 적용상 다음의 정의에 동의한다.

1. 노예제란 소유권 행사에 부속되는 권한의 일부 또는 전부의 지배를 받는 사람의 지위 또는 상황이다.

2. 노예무역은 강제로 노예로 만들 의도를 가지고 사람을 포획, 취득 또는 처분하는 것과 관련된 모든 행위, 사람을 팔거나 교환할 목적으로 노예를 취득하는 것과 관련된 모든 행위, 구입 또는 교환을 목적으로 획득한 노예를 판매 또는 교환에 의해 처분하는 모든 행위, 일반적으로 노예를 거래하거나 운송하는 모든 행위를 포함한다.

놀랍게도 일본 정부는 현재까지 노예조약을 비준하지 않았다. '위안부' 문제 때문에 비준할 수가 없는 것이다.

하지만 ① 노예의 금지와 ② 노예 거래의 금지는 1930년대에 관습국제법의 지위를 획득했다. 조약을 비준하지 않아도 문명국이라면 반드시 지켜야 하는 것이다.

그런 까닭에 '위안부' 문제에서 강제성 여부를 묻는 경우 ① 노예의 금지 ② 노예 거래의 금지에 관한 노예조약의 정의를 근거로 판단하게 된다.

아베 총리를 비롯한 부정론자들은 "강제연행이 없었기 때문에 노예제가 아니었다"고 주장하지만, 강제연행이 아니라도 노예는 노예다. 강제연행은 ② 노예 거래 금지의 일부분에 관계된다 해도 ① 노예 금지의 요소는 아니기 때문이다. 계약에 의한 노예도 있고, 노예가 낳은 자식도 노예가 된다. 노예화에는 다양한 형태가 있었다.

　노예조약은 18세기 말부터 이어온 노예폐지 운동의 성과이다. 1791년 일어난 아이티 혁명은 프랑스에 의한 노예제와 흑인차별에 항거해 자유공화국 건설을 추진했다. 19세기 초반 카리브 해와 중앙아메리카 각지에서 노예를 해방시키자는 투쟁이 벌어졌다. 1830년 무렵 미국에서 노예제가 점차 폐지되기 시작했다. 그리고 1860년대에 노예제 유지를 마지막까지 고집했던 미국에서 공식적으로 폐지되었다.[5]

　유럽에서는 1885년 베를린 일반협정, 1890년 브뤼셀 일반협정·선언, 1905년 추업협정, 1910년 추업조약, 1919년 생제르맹 조약을 거쳐 국제연맹에서 노예조약을 제정하기로 했다.

　1924년 국제연맹 노예제위원회에서 노예조약 초안을 작성하면서, 인간을 착취하는 모든 형태를 연구했다. 1925년의 세실 제안은 '착취에서 소유로'의 전환을 내세우고, 이것이 1926년의 노예조약으로 이어졌다. 여기서 두 가지 점을 확인할 수 있다.

　첫째, 노예를 정의할 때 대서양 인근의 흑인노예뿐 아니라 성적 착취를 당한 백색노예도 대상이 되었다. 성적 서비스의 강제 등 성노예제를 처음부터 염두에 두었던 것이다.

　둘째, 노예의 본질적 요소를 '착취에서 소유로' 전환한 것에 주목할 필요가 있다. 타인의 노동 착취는 노예제만의 특징이 아니므로 타인을 소유하는 것, 타인을 소유권의 객체로 삼고 자신을 소유권의 주체로 행동하는 것을 중요한 요소로 정의했다.

따라서 노예조약 제1조 1항의 노예의 정의는 강제연행과 관계가 없다. 제1조 2항의 노예 거래는 포착, 취득, 매매, 교환, 거래, 수송이라는 요소를 포함하기 때문에, 강제연행도 포함된다고 해석할 수 있다.

노예의 개념을 바르게 해석한 쿠마라스와미 보고서는 '위안부'가 노예에 해당하고, 일본 정부가 노예 금지를 위반했다고 결론지었다.[6] 맥두걸 보고서도 '위안부'는 노예에 해당하고, 일본 정부는 노예 금지를 위반했다고 결론내렸다.[7]

또한 '위안부' 소송을 담당한 야마구치 지방재판소 시모노세키 지부 판결에서도 '위안부'가 노예상태에 있었다고 인정했다. 그 밖에 '위안부'에 대한 성적 서비스의 강제성을 인정한 판결이 여럿 존재한다.[8]

4 _ 강제노동조약

1930년 국제노동기구(ILO)의 강제노동조약은 '일체의 형식에서 강제노동의 사용을 폐지할 것'(제1조 1항)을 목표로 하면서 이를 점차적으로 확대해나가는 조치를 취했다. 완전폐지가 아니었던 것은 시대적 제약이다.

일본 정부는 1932년 이 조약을 비준했음에도 불구하고 그 후 '위안부' 정책을 채택했다. 1990년대 들어 '위안부'에 대한 논의가 진행되자 맨 처음 문제된 것이 강제노동조약과의 관계이다.

'위안부' 문제에 대해 일본 정부는 조약의 "적용 제외·예외에 해당한다"고 주장했다. 강제노동조약 제2조 2항(d)에 해당한다는 것이다.

> <u>제2조 2항(d)</u> 긴급한 경우, 즉 전쟁의 경우나 화재, 홍수, 기근, 지진, 심한 전염병이나 가축 전염병, 짐승이나 곤충류 혹은 식물류 등 해로운 물질에 의한 침입과 같이 재해나 그러한 우려가 있는 경우 및 일반적으로 주민의 전부 또는 일부의 생존이나 행복을 위태롭게 하는 일체의 사정에 의해 강요되는 노무.

1996년 4월 유엔 인권위원회에서 일본 정부는 "전쟁 중이었으므로 '위안부'에 대해 조약이 적용되지 않는다. 따라서 위법이라고 할 수 없고 일본 정부에 책임이 없다"고 주장했다.

하지만 ILO의 조약 담당관은 "제2조 2항(d)은 긴급한 경우를 뜻한다. 긴급할 시 위안소에 간다는 것은 어떤 의미인가. 위안소가 없으면 주민의 전부 또는 일부의 생존 또는 행복을 위태롭게 만든다는 것인가. 위안소는 제2조 2항(d)의 요건에 해당하지 않는다"고 명확하게 밝혔다.

ILO 조약적용 전문가위원회는 1996년 이후 일본 정부에 몇 번이나 권고조치를 내렸다. '강제노동조약을 위반'했기 때문이다.

강제노동조약은 "추정연령 18세 이상 45세 이하의 건장한 성년 남성만 강제노동에 징집하는 것으로 함"이라고 해서 긴급한 경우 남성의 강제노동을 인정하지만, 여성의 강제노동은 인정하지 않는다(제11조).

5 반인도적 범죄

쿠마라스와미 보고서에서는 "'위안부'의 경우, 여성 및 소녀의 유괴 및 조직적 강간은 분명히 민간인인 주민에 대한 비인도적 행위이고, 반인도적 범죄를 구성한다"고 판단했다.[9]

맥두걸 보고서도 일본군 '위안부' 제도가 반인도적 범죄에 해당한다고 판단했다.[10]

반인도적 범죄 규정은 시기와 국제문서에 따라 여러모로 다르지만, 극동국제군사법정 조례 제5조(하)에서 다음과 같이 규정하고 있다.

제5조(하) 반인도적 범죄, 즉 전전戰前 또는 전시 중戰時中 이루어진 살인, 섬멸, 노예적 학사虐使, 추방, 기타 비인도적 행위, 또는 범행지의 국내법 위반인지 아닌지 가리지 않고 본 재판소의 관할에 속한 범죄의 수

행으로써 또는 이것에 관해 이루어진 정치적 또는 인종적 이유에 근거한 박해행위.

이 가운데 '위안부'에 해당하는 것은 '노예적 학사'와 '비인도적 행위'일 것이다. 당시 일본 정부가 '노예적 학사'라고 의역한 말을 지금 시대에 맞게 번역하면 '노예화하는 것'이라고 할 수 있다.

일본 정부가 '추방'이라고 번역한 'Deportation'의 경우 나치 독일의 유대인 강제이송을 염두에 둔 것으로, 본래 '이송' 또는 '연행'으로 번역해야 한다. '노예화하는 것'과 '이송·연행'인 만큼 말 그대로 강제, 강제연행의 정의와 관련이 있다.

반인도적 범죄의 적용에 대해서는 1930~1940년대에 반인도적 범죄의 금지가 관습국제법의 지위에 있었느냐 없었느냐를 둘러싸고 논의가 벌어졌는데, 일본 정부에서는 이를 부정하고 있다. 이 부분은 학설상으로도 완전히 일치하지 않는다. 그러나 일본 정부의 위법행위에 대한 책임 여부는 별도로 치더라도 강제성을 판단할 때 중요하다. '비인도적 행위', '추방'과 함께 중요한 판단기준이 된다.[11]

일본 국내법에서의 유괴죄

'위안부' 강제연행을 유괴죄로 처벌한 대심원 판결이 두 건 발견되었다. 대심원은 현재의 최고재판소에 해당한다. 형법 226조 국외이송목적 유괴죄와 형법 224조 미성년자 유괴죄의 사안이다. 당시 일본 형법은 다음과 같이 규정했다.[12]

> 형법 226조 제국 밖으로 이송할 목적을 가지고 사람을 약취 또는 유괴한 자는 2년 이상의 유기징역에 처한다. 제국 밖으로 이송할 목적을 가지고 사람을 매매 또는 피괴취자被拐取者 혹은 피매자被賣者를 제국 밖으로 이송한 자 역시 똑같다.

즉, 국외이송을 목적으로 한 유괴죄에는 네 가지 유형이 있다.
① 국외이송목적＋약취
② 국외이송목적＋유괴
③ 국외이송목적＋매매
④ 피괴취자·피매자의 국외이송
여기에서 구체적으로 문제가 되는 것은 유괴와 매매다.
"유괴죄에서 '기망(欺罔)'이란 허위 사실을 가지고 상대를 착오에 빠뜨리는 것을 말하고, '유혹'이란 기망의 정도에 이르지는 않지만 감언으로 상대를 움직여 판단을 그르치게 한다는 것이 많은 사람의 해설이다."[13]

'위안부'를 연행하면서 "○○에서 일하면 돈을 번다"고 감언 이설로 속여 데려간 경우가 드러났다. 또한 미성년자를 인신매매해 국외로 데려간 사례도 많았다고 한다. 이는 곧 유괴와 매매라는 형태의 약취 유괴죄이고 미성년자 유괴죄이다.

여기에서 유괴죄로 처벌된 두 가지 사례를 살펴보자.

첫째, 나가사키(長崎) 사건이다. 상하이사변(1932년과 1937년 두 차례에 걸쳐 일어난 중국·일본 간의 무력충돌)을 계기로, 일본군을 상대로 장사하려던 피고인들이 공모해 나가사키에서 여성들을 감언이설로 속여 상하이로 보냈다. 이 사건에서 피고인들은 국외이송목적 유괴죄로 유죄판결을 받았다(1937년 대심원 판결). 여성들이 상하이행을 알았다고 해도 목적이 매춘이라는 것을 감추었기 때문에, '허위사실로 상대를 착오에 빠뜨린' 유괴사건이었다.[14]

둘째, 시즈오카(静岡) 사건이다. 만주에서 일본군을 상대로 장사하려던 피고인들이 미성년 소녀들을 감언으로 속여 만주행을 승낙하게 하고, 국외이송을 목적으로 누마즈(沼津)에서 유괴했다. 이 사건에서 피고인들은 미성년 및 친권자에 대한 기망이 인정되었다(1935년 대심원 판결).[15]

두 사건의 피해자는 모두 일본 여성인 듯하다. 대심원 판결 이후, 일본 정부는 일본 열도에서 '작부 목적의 해외도항'을 금지하는 통달을 내렸다. 그런데 조선이나 타이완 등 식민지에서는 '작부 목적의 해외도항'을 금지시키지 않았다.

앞에서 살펴본 것처럼 일본은 추업조약 비준 때 식민지에는 적용하지 않기로 결정했다. 따라서 조선에서 작부 목적 등을 가진 여성의 해외도항이 방치되고, 이는 조선인 '위안부'의 대량 연행으로 이어졌다. 당시 일본 정부도 현재의 아베 정권도, 조선인은 유괴해도 상관없다고 판단한 것이다.

군의 관여를 둘러싼 국가의 책임

한일합의에는 "당시 군의 관여 하에 다수 여성의 명예와 존엄에 깊은 상처를 입힌" 것에 대해 "일본 정부는 책임을 통감한다"고 되어 있다. 그러나 일본 정부가 법적 책임을 부정하고 있으므로 여기서 '책임'이란 도의적 책임을 가리킨다.

이때 이용한 것이 민간업자의 존재이다. '군의 관여'는 있었지만 민간업자가 주체였기 때문에, 일본 정부는 법적 책임이 없다는 기괴한 논리를 구사한 것이다. 그러나 다음과 같은 네 가지 점에서 그런 논리는 성립할 수 없다.

첫째, 민간업자가 여성을 연행하거나 위안소를 관리했다고 해도, '위안소' 정책을 정하고 운영방법과 규칙을 정했으며 '위안소'를 이용한 것은 군이기 때문에 민간업자와 군은 공범이다.

둘째, 쿠마라스와미 보고서에서 "군에 의해, 또는 군을 위해 성적 서비스를 하도록 강요받은 여성의 사건을 군사적 성노예제의 관행"이라고 정의했기 때문에, '군의 관여'가 있었다는 것은 성노예제도의 주체가 일본군이었음을 명백히 뒷받침한다.

셋째, 1993년의 '여성에 대한 폭력 철폐선언' 제2조(c)는 "어디서 발생했는지를 가리지 않고 국가에 의해 이루어지거나 또는 허용된 신체적, 성적 및 심리적 폭력"을 금지한다. 또한 제4조의 경우 "국가는 여성에 대한 폭력을 비난해야 하고, 그 철폐에 관한 의무를 회피하기 위해 어떠한 관습과 전통 또는 종교적 고려를 원용(援用)해서는 안 된다"고 되어 있다. 그런데 '군의 관여'가 있었다는 것은 일본군이 성노예제도를 비난하기는커녕 허용했다는 의미 아닌가.

넷째, 2002년의 유엔 총회 결의에 담긴 '국제위법행위에 대한 국가책임(국가책임조약 초안)' 제2조는 "국가의 국제위법행위가 작위만이 아니라 부작위로 이루어지는 행위에도 성립한다"고 되어 있다. 또 제8조는 "개인 또는 개인집단이 행위를 완수하는 가운데 사실상 국가의 명령, 지휘, 통치 때문에 행동하는 경우, 그들 개인 또는 개인집단의 행위는 국제법상 국가의 행위라고 생각된다"고 되어 있다. 민간업자가 했다는 변명은 통하지 않는 것이다.

'위안부' 문제는 당시 일본 정부가 기본방침을 입안하고, 일본군이 요청·지휘·감독하는 가운데, 군과 민간업자가 피해여성을 선발하고 연행해 '위안소'에서 성적 서비스를 강요한 사건이다. 뿐만 아니라 전쟁이 끝난 뒤 일본군 및 민간업자는 수많은 피해여성을 해외에 버리고, 경우에 따라 증거를 없애기 위해 살해하기도 했다.

반세기가 지나서야 한국과 중국, 대만, 필리핀, 인도네시아, 동티모르, 미얀마 등 아시아 각지에서 피해여성이 나타나 인간의 존엄 회복을 요구하고 공식 사죄와 배상을 요구했지만, 일본은 계속 해결을 거부해왔다. 한일합의는 여성 차별과 인종·민족 차별이 복합된 반인도적 범죄를 또다시 은폐함으로써 역사에 화근을 남기는, 속이 빤히 들여다보이는 연극이 아닐 수 없다.

주
_____

1) 도쓰카 에쓰로(戸塚悦朗), 『일본이 모르는 전쟁책임』(현대인문사, 1999년/2008년 보급판); 마에다 아키라, 『전쟁범죄와 인권』(아카시쇼텐明石書店, 1998년) 등.

2) 라디카 쿠마라스와미, 『여성에 대한 폭력』(아카시쇼텐, 2000년), 219쪽. 성노예에 대한 자세한 내용은 일본군 '위안부' 문제 웹사이트 제작위원회 편, 『'위안부'·강제·성노예』(오차노미즈쇼보御茶の水書房, 2014

년); 라디카 쿠마라스와미, 『성노예란 무엇인가』(오차노미즈쇼보, 2015년) 참조.

3) VAWW-NET Japan 편역, 『전시 성폭력을 어떻게 재판할 것인가/유엔 맥두걸 보고 전역(全譯)』(가이후샤凱風社, 2000년 증보판), 42~42쪽.

4) 마에다 아키라, 『전쟁범죄론』(아오키쇼텐青木書店, 2000년); 마에다 아키라, 『제노사이드론』(아오키쇼텐, 2002년).

5) 노예조약이 만들어진 과정에 대한 자세한 내용은 Jean Allain(ed.), *The Legal Understanding of Slavery, From the historical to the contemporary*, Oxford University Press, 2012; Jenny Martinez, *The Slave Trade and the Origins Of International Human Rights Law*, Oxford University Press, 2012.

6) 라디카 쿠마라스와미, 『여성에 대한 폭력』, 232쪽.

7) VAWW-NET Japan 편역, 『전시 성폭력을 어떻게 재판할 것인가』, 91쪽.

8) 쓰보카와 히로코(坪川宏子)·오모리 노리코(大森典子), 『사법이 인정한 일본군 '위안부'』(가모가와출판, 2011년).

9) 라디카 쿠마라스와미, 『여성에 대한 폭력』, 255~256쪽.

10) VAWW-NET Japan 편역, 『전시 성폭력을 어떻게 재판할 것인가』, 94쪽. 2000년 여성국제전범 법정판결도 일본군 '위안부' 제도가 반인도적 범죄에 해당한다고 판단했다.(VAWW-NET Japan 편, 『여성국제전범법정의 모든 기록 I II』, 료쿠후출판綠風出版, 2002년)

11) 마에다 아키라, 『반인도적 범죄』(아오키쇼텐, 2009년).

12) 이 조문은 1995년 개정되어 다음과 같이 바뀌었다. (그 후 다시 개정되었지만 기본 내용은 바뀌지 않았다.) "일본 국외로 이송할 목적으로

일본 활동가들이 말하는 한일 '위안부' 합의의 민낯

사람을 약취 또는 유괴한 자는 2년 이상의 유기징역에 처한다. 일본 국외로 이송할 목적으로 사람을 매매하거나 또는 약취되고 유괴되고 혹은 매매된 자를 일본 국외로 이송한 자도 앞 항목과 똑같이 한다."

13) 『대형법(大刑法) 코멘타르(Kommentar) 형법 8권』(세이린쇼인靑林書院, 2001년), 603쪽.

14) 마에다 아키라, 〈국외이송목적 유괴죄의 공동정범(共同正犯)〉, 『계간 전쟁책임연구』 19호, 1998년(마에다 아키라, 『전쟁범죄론』 수록). 판결은 『대심원 형사판례집 16권 상』(법조회, 1937년).

15) 마에다 아키라, 『'위안부' 유괴범죄—시즈오카 사건 판결』; VAWW RAC 편, 『'위안부' 때리기를 뛰어넘어—고노 담화와 일본의 책임』(오쓰키쇼텐大月書店, 2013년). 판결은 『대심원 형사판례집 14권』(법조회, 1935년).

아베 신조와 일본군 성노예 문제

아도르노의 '기억의 편취'
비판에서 배우다

일본군 '위안부' 문제해결 히로시마네트워크 공동대표·역사가

田中利幸

다
나
카

도
시
유
키

아베 신조의 '위안부 때리기' 이력

아베 신조는 일본군 성노예뿐만 아니라 남경 학살 등 아시아 태평양전쟁 중에 일본군이 저지른 수많은 전쟁범죄를 전면 부정하고, 처음 국회의원이 된 1993년부터 지금까지 20여 년간 그러한 역사적 사실을 은폐하는 데 앞장서고 있다. 단순한 '정치적 반대운동'이 아니라 기만과 허위, 정치적 억압이라는 사악한 수단을 써왔음이 그의 역사 문제에 관한 이력을 조사해보면 확연히 드러난다.

그는 의원이 되자마자 '침략전쟁의 역사 부정'을 외치는 자민

당 의원의 모임인 〈역사검토위원회〉 멤버가 되었다. 1995년에
는 '전후 50년 국회결의', 일반적으로 '전쟁사죄결의' 또는 '부
전결의'로 부르는 결의의 채택을 저지하고, 대신 '전몰자 추도·
감사결의'의 국회 채택을 전국적으로 촉구한 〈전후 50년 국민
회의〉에서 활약했다.

1996년부터는 일본군 성노예 문제뿐만 아니라 남경 학살, 강
제연행, 일본의 아시아 침략, 식민지 지배 등에 관한 교과서 내
용이 편향되었다고 비난하며 공격하는 〈'밝은 일본' 국회의원
연맹〉의 사무국 차장으로 활동했다. 그는 〈자유주의사관 연구
회〉와 〈새로운 역사교과서를 만드는 모임〉을 창립한 후지오카
노부가쓰(藤岡信勝, 당시 도쿄대 교수), 다카하시 시로(高橋史朗, 메이
세이대학明星大學 교수), 니시오 간지(西尾幹二, 당시 전기통신대 교수)
등과도 밀접하게 연계하며 문부성에 정치적 압력을 가하는 핵
심 역할을 했다. 또한 2000년 12월 8일부터 12일 사이 도쿄에
서 열린 '일본군 성노예제를 재판하는 여성국제전범법정'을 소
개하는 NHK TV 다큐멘터리 내용을, 나카가와 쇼이치(中川昭一,
전 일본 재무상)와 함께 NHK 스태프에게 공갈 비슷한 압력을 행
사함으로써 개찬시키는 폭거를 단행하기도 했다.

그는 2006년 9월 총리가 되자마자 '위안부에 대한 협의의 강
제성'을 뒷받침하는 증거가 없으므로 교과서에서 이 문제를 다
루어서는 안 된다고 국회에서 주장했다. 뿐만 아니라 "A급 전

범은 국내법적인 의미에서는 범죄자가 아니다"라고 말해, 도쿄 재판의 법적 정당성을 뿌리째 부정하기도 했다.

그런데 2007년 1월, 미국 민주당 연방의회 하원의원 마이클 혼다 등이 '위안부' 문제로 일본 정부의 사죄를 요구하는 결의안을 하원에 제출하고, 미국 언론이 아베의 일본군 성노예 발언을 신랄하게 비난하자 돌연 태도를 바꾸었다. 같은 해 4월 방미해 부시 대통령과 수뇌회담 시 먼저 '위안부 문제'를 언급하면서, "저는 고통을 당한 '위안부' 분들에게 인간으로서, 또 총리로서 마음으로부터 동정함과 동시에 그런 극히 괴로운 상황을 겪은 것에 대해 죄송한 마음이 가득하다"고 말했다. 하지만 그 후 현재까지 일본군 성노예였던 여성들에게 일본 총리로서 직접 사죄한 적은 한 번도 없다. 미국에서 그렇게 발언했던 사람이 뒤돌아서는 나 몰라라 하다니, 진정 '인간으로서' 취할 태도인가.

2012년 말 총선에서 자민당이 압승하면서 다시 총리 자리에 복귀한 아베는 '고노 요헤이 관방장관 담화'와 '무라야마(村山) 담화'의 재고를 주장했다. 2013년 7월 참의원 선거에서 자민당이 압승하자 다시 역사문제에서 일본의 전쟁책임을 부정하는 언동을 강화했다. 2014년 초부터는 아베 지지파인 자민당 의원들을 앞세워 '고노 담화'에 대한 검증을 요구했다. 그리고 같은 해 6월 20일에는 검토위원회의 결과보고서인 〈위안부 문제를 둘러싼 한일 간의 의견교환 경위: 고노 담화 작성에서 아시아여

일본 활동가들이 말하는 한일 '위안부' 합의의 민낯

성기금까지〉를 발표했다. 하지만 검토위원회는 담화의 근거가 된 자료 조사와 검토를 전혀 하지 않았다. 가장 중요한 일임에도 하지 않은 것이다. 그들이 보고서를 만든 이유는 오직 하나였다. '고노 담화'가 한국 측의 강력하면서도 일방적인 요구를 받아들이지 않을 수 없는 상태에서 본의 아니게 '강제성'을 인정하는 형태로 만들었다는 인상을 주기 위해서였다.

같은 해 8월에는 아사히신문 때리기와 전 아사히신문 기자인 우에무라 다카시(植村隆)에 대한 인신공격을 맹렬히 전개했다. 그 배후에는 역시 아베와 아베 지지파인 자민당 정치가들이 도사리고 있었다. 1980~1990년대에 아사히신문이 발표한 오보 기사 때문에 '위안부 강제연행'이 있었다는 사실무근의 정보가 전 세계로 흘러나가게 되었다는 이유였다.

아베 내각에 의한 일련의 '위안부 때리기'를 깊이 우려한 유엔 고문금지위원회와 자유권규약위원회 등은 일본 정부에 '위안부'에 대한 인권침해적 언동을 바로하고, 국가책임을 인정한 뒤 피해자에게 공적 사죄를 표명하고 충분히 배상하라고 거듭 권고했다. 그러나 아베 내각은 이를 완전히 무시했다.

2015년 12월 말 한일 정부는 외교장관회의를 열고, '위안부 문제'의 '최종적·불가역적 해결'에 합의했다고 발표했다. 그러나 '합의' 내용을 보면 일본군 성노예 피해자들의 견해는 완전히 무시당했다. 또한 일본의 법적 책임을 인정하지 않은 채 10억 엔이라는 돈을 출연함으로써 한일 간에 '위안부' 문제를 다시는 거론하지 않기로 했다고 한다. 이는 심각한 피해자 인권침해가 아닐 수 없다. '최종적·불가역적 해결'이란 결국 10억 엔이라는 돈으로 일본군 성노예라는 역사적 사실에 대한 기억을 매수해 그 기억을 말소하는 것이다.

아베는 "우리의 아들이나 손자 세대에 계속 사죄할 숙명을 지워서는 안 된다. 그 결의를 실행으로 옮기기 위한 합의다"라고 설명했다. 하지만 이 발언에는 아베의 '전쟁책임'과 '사죄'에 관한 천박한 생각이 여실히 드러나 있다.

분명히 전후 세대에게는 일본군이 저지른 전쟁범죄에 대한 직접적 책임이 없다. 그러나 지금까지 가해국으로서의 책임을 충분히 지지 않았을 뿐만 아니라 전쟁범죄 사실조차 부정해온 정권 아니던가. 따라서 역사적 사실을 명확히 인식하고 정당한 국가적 책임을 지도록 요구해야 하는 의무와 책임이 전후 세대인 우리에게 있다는 점을 아베는 이해하지 못하는 듯하다. 더구나 아베 같은 인물이 국정을 맡음으로써 일본 국민이 더욱더 "계속 사죄할 숙명을 짊어지게 된다"는 사실을 본인은 깨닫지 못하고 있는 것 같다. 아베가 그런 발언을 당당히 하는 것 자체가 일본 국민에게는 대단히 불행한 일이 아닐 수 없다.

잔학한 전쟁범죄의 피해자에 대한 '사죄'는 단순히 '사죄한다는 말'만으로, 하물며 금전으로 간단히 끝낼 수 있는 문제가 아니다. 진정한 '사죄'는 우리 아버지나 할아버지 세대의 수많은 잔학행위를, 일본인은 물론 어떤 나라의 국민도 다시는 저지르지 않도록 오랜 세월에 걸쳐 착실히 노력해나가는 것이다. '전쟁범죄 방지'라는 건실한 '사죄활동'에 의해서만, 가해자 측은 피해자들의 신뢰를 얻을 수 있고 '용서'를 받으며 진정한 '화해'에 도달할 수 있다.

"역사의 교훈을 가슴 깊이 새겨 보다 나은 미래를 열어나가며, 아시아 그리고 세계의 평화와 번영을 위해 온힘을 다할 그런 큰 책임이 있습니다"라는 '아베 담화'의 입에 발린 말이 진정으로 의미를 가지려면, 일본 국민과 국가는 구체적인 형태로 착실하게 '전쟁에 대한 책임'을 다해야 한다.

아도르노의 '과거로부터의 해방' 및 '수상쩍은 인물' 분석의 응용

아베의 역사에 대한 기만과 조작을 이해하는 데 큰 도움이 되는 논고가 있다. 독일 프랑크푸르트학파의 중진이었던 철학자 테오도어 아도르노(Theodor Wiesengrund Adorno, 1903~1969)의 〈과거의 총괄이란 무엇을 의미하는가〉(1959년 강연)이다.[1] 지금부터 이 논고에 따라 아베 신조라는 인물의 문제점을 파헤쳐

보기로 하자.

아도르노의 논고는 일단 가해자가 "과거에 결말을 짓는다"는 것이 무엇을 의미하는지에서 시작한다. 가해자는 "과거에 결말을 짓고, 가능하다면 과거 자체를 기억에서 지워버리고 싶어" 한다. 따라서 종종 "모든 것을 물에 흘려보냅시다"라는, 본래는 피해자 즉 '부당한 처사를 당한 사람'이 해야 할 말을 '부정행위를 저지른 쪽의 지지자'들이 한다고 아도르노는 지적했다.[2]

아베 역시 최근에 자주 "언제까지 과거에 얽매인 채 미래로 향하지 않을 작정입니까"라고 주장하고 있다. 예를 들면 2015년 8월의 '아베 담화' 발표를 앞두고 일본 내외의 강연에서 "지난 대전(大戰)에 대한 반성 위에서 아시아 발전에 공헌해왔다. 그 긍지를 가슴에 품고 아시아와 세계 평화에 더욱 공헌하는 메시지를 국내외에 보내고 싶다. 다음의 80년, 90년, 100년 동안 어떤 나라를 지향할지, 세계로 내보낼 수 있는 영지(英知)를 결집해 생각하고 싶다"고 말했다.

그러나 "지난 대전에 대한 반성"이란 진정성 없이 어물쩍 넘어가는 말이고, 결국 메시지의 본심은 "모든 것을 물에 흘려보냅시다", "과거는 잊고 미래에 대해 말합시다"라는 의미를 내포하고 있다. 이런 식으로 그는 피해자가 해야 할 말을 먼저 말함으로써 자신의 책임을 흐릿하게 만들었다.

"과거에서 해방되고 싶다는 바람은 당연"하지만, 문제는 "피하고 싶은 과거가 아직 생생하게 맥락을 유지하고 있는 이상, 그 바람은 부당합니다"라고 아도르노는 말한다. 그리고 "민주주의에 저항해 파시즘적 경향이 살아남는 것보다 민주주의 내부에 나치즘이 살아남는 것이 잠재적으로는 더 위협적입니다"라고 지적했다.[3]

유감스럽지만 일본은 '전후 민주주의'라는 정치사회 체제의 깊숙한 곳에 '천황제에 입각한 군국주의적 전체주의'가 면면히 살아 있다. 그 위협이 지금 아베 정권이라는 괴물 같은 모습으로 나타나 우리를 습격하고 있는 것이다.

아도르노는 1950년대 말 독일의 상황을 "나치즘이 민주주의 조직에 잠입하는 것은 객관적으로 현실이 되고 있습니다. 수상쩍은 인물들이 권력으로 돌아가 다시 꽃을 피우는 것도, 정세가 그러한 인물들에게 유리하게 작용하기 때문입니다"라고 묘사했다.[4]

그 후 독일은 위험한 사회현상을 훌륭히 극복했지만, 일본에서는 지금까지도 그런 상황이 이어지고 있다. 일본에서 가장 '수상쩍은 인물' 중 한 사람이 A급 전범용의자로 체포되었지만, 1957년 즉 아도르노가 이런 경고를 말하기 2년 전에 이미 총리에 오른 기시 노부스케(岸信助)라는 사실을 우리는 똑똑히 상기해야 한다.

2015년 4월 29일, 아베는 그 '수상쩍은 인물'인 조부를 미국

상하 양원 합동회의 연설의 첫머리에서 자랑스럽게 소개했다. 1957년 6월 미국 연방회의 연설에서 자신의 조부가 "일본이 세계의 자유주의 국가와 제휴하고 있는 것도, 민주주의 원칙과 이상을 확신하고 있기 때문입니다"라고 이야기한 사실을 언급한 것이다.

'민주주의 원칙과 이상을 확신'했다는 기시 노부스케는 1960년 국민의 맹렬한 반대운동을 억압하고 국회 심의를 거부했으며 미일 안보 신조약을 강행 체결하는 등 비민주주의적인 모습을 연이어 보였다. 게다가 안보조약 개정을 둘러싼 미국 정부와의 교섭단계에서 핵무기를 탑재한 미 함선이 일본 영해를 통과·기항하고, 핵무기를 탑재한 미군기가 일본 영공으로 들어와 일본 내 미군 기지에 착륙하는 것을 사전협의 대상으로 삼지 않겠다는 비밀양해를 받아들이며 국민의 알 권리를 말살했다.

그런데 이번에는 그의 손자인 아베가 국민의 맹렬한 반대에도 불구하고 명백한 위헌행위인 집단자위권 행사를 용인하고, 기타 전쟁법제의 정비를 통해 '장래의 전쟁을 정당화'하며, 오키나와 현민의 강력한 반대를 무시한 채 헤노코(辺野古) 미군기지 신설을 추진하는 등 '민주주의 원칙과 이념' 따위는 전혀 아랑곳하지 않는 태도를 취하고 있다.

그런 인물이 다른 나라 국회의사당에서 행한 연설의 첫머리에 당당히 '민주주의 원칙과 이념'을 말하다니. 파렴치한이 아니면 할 수 없는, 놀라움을 금할 수 없는 일이다.(기시 노부스케의 친동생, 즉 아베의 작은할아버지에 해당하는 사토 에이사쿠佐藤栄作 역시 '핵 없는 오키나와 반환'이란 말에서 알 수 있듯 엄청난 거짓말쟁이에 파렴치한이었다. 여기에서는 자세한 내용을 생략한다.)

'기억'과 '민주주의'의 상호관련성

대단히 흥미로운 것은 아도르노가 '기억'에 대해,『예루살렘의 아이히만』의 저자로 유명한 철학자 한나 아렌트(Hannah Arendt)와 매우 비슷한 표현으로 설명했다는 점이다. 아렌트는 저서『전체주의의 기원』제3권에서, 홀로코스트의 가장 무서운 본질은 희생자가 살해되는 것만이 아니라 그 사람이 살아 있었다는 존재 자체의 기록과 그 사람에 관한 '기억'이 '망각의 구멍'으로 떨어져 말살되는 것이라고 했다.[5]

나는 '기억'을 둘러싼 아렌트의 날카로운 통찰을 일본의 전쟁 범죄에 적용해 지금도 생존 중인 일본군 성노예, 이른바 '위안부' 여성들에 대해 '성노예' 따위는 존재하지 않았다며 '거짓말쟁이'라고 부르는 것은, 그녀들에 관한 '기억'을 '망각의 구멍'으로 떨어뜨리고 '마치 예전부터 그런 것이 존재하지 않았다는 듯 지표에서 말살해버리는 것'이라고 논문 〈'망각의 구멍'과 아

베 신조—아베의 중동 방문과 인질사건에 관한 사견(私見)〉에
서 밝힌 바 있다.[6]

아도르노는 피해자를 '기억'에서 말살해버리는 것의 본질을
다음과 같이 설명한다.

> "무력한 우리가 학살된 사람들에게 바칠 수 있는 유일한 것인 기억조차
> 사자(死者)로부터 편취(騙取, 속여서 빼앗음)하려는 것입니다. 기억이야말로
> 우리가 사자에게 바치는 유일한 것…."[7]

일본군이 아시아태평양전쟁 중에 저지른 수많은 잔혹행위를
'그런 일은 없었다'고 부정하는 것은 피해자를 없었던 것으로
하는 일이며, 그것은 곧 그 사람들의 '기억을 편취하는 것'이다.
따라서 '남경 학살은 날조'라고 큰소리치고, 일본군 성노예를
사실상 '거짓말쟁이'라고 부르는 아베와 주변 인물들은 '기억'
을 '망각의 구멍'에 떨어뜨리는 '구멍무덤을 파는 사람'인 동시
에 '기억의 도둑'이다.

아도르노는 다른 저서에서 '우리가 연대해야 할 상대는 인류
의 고뇌'[8]라고 말했다. 고뇌와 연대하기 위해서는 고뇌를 안게
된 사람의 '고통'스러운 '기억'을 우리 자신의 '기억'으로 내면
화할 필요가 있다. 미래에 대한 희망은 그런 '고뇌'의 '기억에
대한 공유'에서만 태어나며, 자신들이 저지른 범죄행위인 피해

자의 '기억' 말살, 즉 '망각'에서는 절대 태어나지 않는다. "망각이라는 것은 너무도 쉽게 망각된 사건의 정당화와 손을 잡습니다"[9]라는 아도르노의 말처럼, 아베 일당은 바로 일본의 침략전쟁을 '정당화'하고 있다.

망각(기억의 배제)에 대해 아도르노는 다음과 같이 말한다.

> "기억의 배제는 무의식의 프로세스가 우세하고 의식이 약해져 일어나는 것이 아닙니다. 지나치리만큼 활발한 의식이 행하는 것입니다. 도저히 지나갔다고 할 수 없는 일을 잊어버리는 행위 안에서는 격정적인 울림이 새어 나오고 있습니다. 타인을 설득해 다 아는 사실을 잊게 만들려면 일단 자기 자신을 설득해서 잊게 만들어야 한다는 격정 말이지요."[10]

아베 또한 그러하다. 국민을 설득해 조부가 A급 전범용의자였던 사실뿐만 아니라 모든 사람이 아는 일본의 전쟁범죄 사실을 잊게 만들기 위해, 자기 자신을 격렬한 감정으로 설득해 잊게 만들려고 한다. '위안부' 문제를 둘러싼 아사히신문에 대한 맹렬한 공격이 그런 아베의 격정적 표출의 한 가지 예일 것이다.

이런 상황에 의연히 맞서려면, 우리 시민의 저항운동에 '민주주의 원칙과 이념'이 깊숙하면서도 굳건히 뿌리내려야 한다. 1950년대 말의 독일에 '민주주의'가 제대로 정착하지 못한 점, 그와 동시에 반민주주의 운동도 큰 세력이 되지 못했던 점에 대해 아도르노는 이렇게 말했다.

"(제2차 세계대전의) 승자들에 의해 민주주의가 도입된 것이 민중과 민주주의의 관계에 아무런 영향도 미치지 않았다곤 생각하기 힘들겠지요. 이 점에 대해 직접적으로 말하는 일은 거의 없는데, 그것은 지금 민주주의 아래서 모든 일이 대단히 잘되고 있기 때문이고, 정치적 동맹에 의해 제도화된 서방 제국, 특히 미국의 이익공동체에 등을 돌리게 되기 때문입니다. 그러나 (비非 나치화를 위한) 재교육에 대한 반감은 생생하게 나타나고 있습니다. …그렇다고 해서 사람들이 그것을 진심으로 자기 자신의 문제로 받아들이고, 자기 자신이 정치적 프로세스의 주체라고 의식할 만큼 시민 속에 민주주의가 정착한 것도 아닙니다. 민중은 민주주의를 수많은 체제 중 하나라고 여기고, 여러 샘플을 보고 공산주의, 민주주의, 파시즘, 군주제 중에서 선택한 카드 같은 것으로, 민중 자신이 그것과 일체가 되어 있을 뿐 민중의 자율적인 표현이라고 생각하진 않습니다."[11]

민주주의 체제가 취약했던 1950년대 말의 독일은 그 이후 착실하고 강고한 '과거 극복' 운동을 통해 '정치사회 체제의 극복'을 추진함으로써 크게 변하고 있다.

그러나 일본은 지금도 '사람들이 진심으로 자기 자신의 문제로 받아들이고, 자기 자신이 정치적 프로세스의 주체라고 의식할 만큼 시민들 사이에 민주주의가 정착'되지 못한 상태이다.

놀라우리만큼 낮은 투표율도, 그런 낮은 의식을 반영한다고 할 수 있으리라. 그리고 여전히 '(천황제 전체주의화를 반대하는) 재교육에 대한 반감', 즉 아베로 대표되는 '교육과 헌법 모두 점령군의 강압'이라는 우익세력의 반감이 지금도 교과서 문제나 헌법 개정 문제에 생생히 드러나고 있다.

집단동조주의와 집단적 나르시시즘

따라서 겉에서 보기에 민주주의 체제인 일본 사회의 근본적인 성격은, 내가 논문 〈패전 70주년을 맞이하면서 ― 전쟁책임의 본질적 문제를 생각한다〉[12]의 마지막 부분에서 말한 것처럼, '권력에 대한 노예근성'을 국민적 차원에서 끊임없이 재생산하는 '집단동조주의'이다.

1950년대의 독일 또한 나치 체제의 잔재로 권력에 대한 자발적 복종과 집단동조주의가 강하게 남아 있었다. 그리하여 아도르노는 이 문제에 대해 상당히 많은 부분을 할애한다. 권력에 쉽게 복종하는 성격에 대해 그는 다음과 같이 말했다.

"권위에 얽매이는 성격을 결정하는 데에는… 몇 가지 성격적 특징이 있습니다. 인습주의, 대세 순응주의, 자기반성의 결여, 그리고 결국 경험하는 능력의 결여라는 특징입니다.

권위에 얽매이는 성격은 그 특수한 내용이 어떠하든 오직 현실의 권력과 자기를 동일화합니다. 그런 성격이 깃든 것은 기본적으로 자아가 취약하기 때문이고, 그런 탓에 보충물(補充物)로써 큰 집단과의 동일화와 자기 집단의 지원 및 보호가 필요합니다.[13]

권력에 스스로 복종하는 사람(예를 들면 어용학자인 기타오카 신이치北岡伸一나 NHK 회장인 모미이 가쓰토籾井勝人)을 비판하기 위해 우리는 종종 '권력에 아부한다'는 표현을 사용한다.

그러나 이 표현은 정확하지 않다. '아부'하는 것이 아니라 아도르노의 말처럼 그들은 '권력과 자기를 동일화'한다. 아베의 권력과 자기를 동일화함으로써 마치 자신이 권력을 가진 듯한 환상에 빠진다. 따라서 아베에게 절대적으로 복종하는 한편, 아랫사람에게는 절대복종을 요구하는 것이다.

또한 그런 사람은 확고한 개인의 신념에 근거한 '자율성'이 없어 권력집단에 밀착 동조하고, 그 집단의 지원과 보호가 없으면 살아갈 수 없다. 이런 상태가 사회 구석구석까지 뒤덮은 것이 일본에서는 전시 중의 천황제(군국주의적 전체주의 시대)이고, 독일에서는 나치정권 시대였다. 그런데 일본의 경우 이 집단동조주의(다케우치 요시로竹内芳郎가 천황교라고 부르는 것)[14]가 지금도 면면히 숨을 쉬고 있다.

아도르노는 1950년대 말 당시 독일 나치체제의 잔재를 다음과 같이 설명했다.

"주관적 측면에서 말하면 나치즘은 인간의 심리 안에서 집단적 나르시시즘을 고양했습니다. 단적으로 말하면 당치도 않을 만큼 국민적 자아 도취를 조장한 것입니다. …이런 집단적 나르시시즘이 히틀러 정권의 와해로 철저하게 상처를 입었습니다. 하지만 그런 나르시시즘의 손상은 단순한 사실의 영역에서 일어난 것에 불과해, 개개인이 그 손상을 자각하고 그 자각으로 인해 손상을 극복하는 일은 없었습니다. …즉, 동일화와 집단적 나르시시즘은 무의식 속에 가라앉고, 그런 탓에 점점 더 강고해져 분쇄되지 않을 뿐만 아니라 계속 남게 됩니다. …상처 입은 집단적 나르시시즘이 품는 기대, 즉 회복되기를 기다리면서 우선 의식 안에서 과거를 나르시시즘적인 바람과 합치시키고, 게다가 가능하다면 현실마저도 나르시시즘의 상처가 없었던 것으로 만들 수 있다면… 이런 기대로 이어지겠지요."[15]

이미 독일은 그런 집단적 나르시시즘을 수십 년에 걸쳐 착실히 극복하려 노력해왔다. 즉, '과거의 극복'을 전 국민적 차원에서 추진해온 것이다. 그러나 일본은 '과거의 극복'에 완전히 실패함으로써, 여전히 위험한 집단적 나르시시즘에 사로잡힌 사람들이 정치를 움직이고 있다.

그 대표적인 인물이 아베 신조이다. 그는 아시아태평양전쟁이라는 역사적 사실을 철저히 수정해 '나르시시즘적인 바람과 합치'시키려 기를 쓰고 있다. 또한 '현실마저도 나르시시즘의 상처가 없었던 것으로 다시 만들기 위해' 거짓말과 속임수를 구사하며 여러 정책을 내세우고, 자신의 나르시시즘에 합치되도록 헌법까지 바꾸려 한다. '아름다운 일본, 강한 일본'을 되찾겠다는 아베의 선전(Propaganda)은 그야말로 '자신의 나르시시즘에 맞춰 현실을 다시 바꾸고 싶다'는 이기적이고도 강렬한 원망(願望)을 표현하는 것에 불과하다.

한심하게도 현재 일본은 아도르노가 1959년 독일 국민에게 경고했던 상황으로 급속히 빠져들고 있다. 그리고 권력에 동화하는 사람이 점점 늘어남으로써 '전체주의로 향하는 잠재적 우려를 낳고' 있다. 아도르노는 그 위험성에 대해 다음과 같이 이야기했다.

"그 가능성은 순응을 강요받음으로써 태어나고, 재생산되는 불만이나 분노에 의해 강해집니다. …궁극적으로는 민주주의의 개념이 본래 약속했던 행복이 이루어지지 않았기 때문에, 사람들은 내심 민주주의를 증오하지는 않더라도 민주주의에 무관심해지고 있습니다. …사람들은 자율을 목표로 사는 것은 불가능한 게 아닐까 두려워하며, 자율의 의무에서 도망쳐 집단적 자아라는 도가니에 몸을 던지고 싶어하게 됩니다."[16]

일본 활동가들이 말하는 한일 '위안부' 합의의 민낯

민주주의가 제대로 기능하지 않음으로써 시민에게 이익을 주지 않기 때문에 민주주의에 무관심해지는 악순환이 이어지고 있다. 그 결과 시민은 '자율'을 포기하고, 점점 권력에 동조하게 된다. 이것이 바로 현재 일본의 상황이다. 이런 권력집단 동조주의의 상황이야말로 아베와 아베를 지지하는 우익세력에게는 바람직한 일이 아닐 수 없다.

결론_'자율적 주체'의 확립과 '과거의 극복'

이런 상황을 타파하려면 두말할 것도 없이 민주주의가 제대로 돌아가도록, 시민들이 의식적으로 사회를 변혁시켜 나가야 한다. 그런데 아도르노가 말한 것처럼 '민주주의의 이념'에 주체적으로 반응하려면 그 이념을 호소하는 쪽이 주체성을 가진 사람, 즉 아도르노가 말하는 '자율적 주체'여야 한다. 역설적으로 말하면, 자신을 내팽개치고 주체성을 말살해 권력집단에 동조하는 사람에게 '민주주의의 이념'을 호소해봐야 무의미한 일이라는 것이다.

되도록 많은 시민을 '자율적인 주체', 즉 권력에 복종하지 않고 현실을 비판적으로 판단할 수 있게 만들려면 어떻게 하는 것이 좋을까. 아도르노는 그 해답을 계몽으로써의 '과거의 극복'이라고 말했다. '과거의 극복'이야말로 "본질적으로 논의의 창끝을 주체로 향하게 하고, 자기의식을 강화하며 자기까지도 강화하기 때문입니다"라고 그는 주장했다. 아도르노가 말하는 '자율'과 '과거의 극복'의 관계를 좀더 설명하면 다음과 같다.

'자율'이란 현재 자신이 처한 사회상황을 올바르게 분석하는 힘을 가지며, 그 분석력에 근거해 스스로 생각해서 판단하고, 그 판단에 근거해 자기행동을 규율하는 것이다. 자신이 처한 사회상황을 올바르게 분석하는 힘을 가지려면 현재가 어떤 역사에서 왔는지, 어떤 사회적 배경에서 자신이 놓인 상황이 만들어졌는지 명확하게 알아야 한다. 즉, 과거에서 제대로 배운 중후한 역사관을 갖지 않으면 현재 상황을 올바르게 분석하는 힘을 가질 수 없다. 현재의 문제에 대한 깊은 분석력을 갖지 않으면 자신이 있어야 할 미래상을 그리는 전망력(展望力)도 극히 빈곤해질 수밖에 없다.

결국 '자율적인 주체'로 자신을 확립하려면 과거 역사를 제대로 자세히 알고, 과거에 저지른 잘못의 원인과 책임을 명확히 밝히고 그 안에서 배우는 것, 즉 '과거의 극복'이 반드시 필요하다.

따라서 현재 일본이 안고 있는 원전문제나 오키나와 미군기지, 헌법 개악 등에 대처하는 방법은 근본적으로 우리의 역사관, 역사교육의 자세와 밀접하게 이어져 있음을 알아야 한다.

　　　　　　　일본 활동가들이 말하는 한일 '위안부' 합의의 민낯

앞에서 말한 것처럼, 민주주의가 제대로 돌아가려면 가장 근본적인 토대에 '자율적인 주체'로써의 사람들이 구축하는 시민 사회가 있어야 한다. 따라서 민주주의 형성에도 '과거의 극복'은 반드시 필요하다. '과거의 극복'을 하지 못한 아베 총리가 민주주의적 정치활동을 할 수 없는 이유가 바로 여기에 있다.

아도르노는 『자율에 대한 교육』 제5장 〈아우슈비츠 이후의 교육〉에서 '자율'에 대해 다음과 같이 설명했다.

> "아우슈비츠('히로시마·나가사키 원폭살육', '남경 학살'로 바꾸어도 무방하다.—다나카 도시유키)의 원리에 대해 진정으로 저항할 수 있는 유일한 힘은 칸트의 말을 빌리자면 자율성입니다. 그것은 반성하는 힘, 스스로 결정하는 힘, 남('권력'으로 바꿀 수도 있다.)에게 가담하지 않는 힘을 말합니다."[17]

아베 신조에 대해서도 이와 똑같은 말을 할 수 있을 것이다.

> "아베에 의한 '기억의 편취'에 저항할 힘은 우리 시민의 자율성이다. 그것은 반성하는 힘, 스스로 결정하는 힘, 아베와 아베 지지세력에 가담하지 않는 힘이다."

1) 이 강연록은 아도르노, 『자율에 대한 교육』(2011년, 주오코론신사中央公論新社) 제1장에 수록되어 있음.

2), 3) 위의 책, 10쪽.

4) 위의 책, 11쪽.

5) 한나 아렌트, 『전체주의의 기원』 제3권(1974년, 미스즈쇼보みすず書房), 222~239쪽.

6) 다나카 도시유키, 〈'망각의 구멍'과 아베 신조—아베의 중동 방문과 인질사건에 관한 사견〉, 피플즈 플랜 연구소 홈페이지 논설.

7) 아도르노, 앞의 책, 14쪽.

8) 아도르노, 『미니마 모랄리아』(1979년, 호세이대학 출판국), 19쪽.

9) 아도르노, 『자율에 대한 교육』, 31쪽.

10) 위의 책, 16쪽.

11) 위의 책, 17쪽.

12) 다나카 도시유키, 〈패전 70주년을 맞이하면서—전쟁책임의 본질적 문제를 생각한다〉, 스이젠(吹禅) 개인 블로그.

13) 아도르노, 『자율에 대한 교육』, 21쪽.

14) 다케우치 요시로, 『포스트모던과 천황교의 현재—현대 문명붕괴기에 즈음하여』(지쿠마쇼보筑摩書房, 1989년).

15) 아도르노, 『자율에 대한 교육』, 24~25쪽.

16) 위의 책, 29쪽.

17) 위의 책, 130쪽.

페미니즘 윤리학으로 생각하는
한일합의

'한일합의'가 왜 '위안부' 여성을
또다시 죽이는 일인가

岡野八代

오
카
노
야
요

도시샤대학 교수

머리말

일본에서 위법적이며 폭력적이기까지 한 안보관련 법안을 체결한 후, 헌법 53조에 따라 야당이 요구하는 임시국회 개최 요청을 무시하고 국회를 폐회 중이었던 2015년 12월 28일, 일본 시민에게도, 그리고 아마 한국 시민에게도 아닌 밤중의 홍두깨—박근혜 대통령이 일본 정부와 일련의 교섭 중이라는 내용이 보도되었다고는 해도—였을 양국 정부의 '합의'가 발표되었다.

그리고 한국 외교통상부 차관이 자국의 '위안부' 여성들을 찾아가는 장면은 한국뿐만 아니라 일본에서도 많은 사람이 TV를 통해 보았을 것이다.[1] 그 자리에서 이용수 할머니는 "왜 우리를 두 번 죽이려 하는 거예요?"라고 따져 물었다.

한편 2016년 새해가 밝자마자 자민당의 사쿠라다 요시타카(桜田義孝, 전 문부과학부 대신)는 "종군위안부는 일본에서 매춘금지법(매춘방지법)이 생기기 전까지 매춘부이자 직업으로서의 창부, 즉 비즈니스였다. 이것을 희생자인 척하는 선전공작에 너무 현혹당했다"고 말했다. 심지어 공창제도가 있었으니 '위안부'는 전혀 문제가 아니라는 식으로 발언했다가 나중에 취소하는 사태까지 벌어졌다.[2]

또한 1월 18일 참의원 예산위원회에서 아베 총리는 "우리의 아들이나 손자에게 (위안부 문제에 대해) 계속 사죄할 숙명을 지워선 안 된다고 생각"해서 한일합의를 결단했다고 말했다. 이것은 2015년 8월 15일 세계의 주목을 받으며 발표한 아베 담화와 통한다. 당시 아베는 "미래를 지향하며 전후 책임을 부정한다"고 말한 바 있다. 한일합의가 아베 신조의 일본군 성노예제에 관한 인식의 연장선에 있음을 명확히 엿볼 수 있는 발언이다.

두 나라 정부는 피해자의 목소리를 듣지 않고, 더구나 책임 소재는 여전히 모호한 가운데 확고한 역사 검증의 근거도 없이 '최종적 및 불가역적 해결'이라고 합의했다. 이는 국제범죄의 역사를 덮으려는 역사수정주의에 불과하다. 합의보도 직후 일본 사회에서 주장하는 "한국은 ('위안부' 문제를) 다시는 문제 삼지 말아야 한다"는 태도에 대해 이미 수많은 비판과 반대 성명이 터져나온 바 있다.

1991년 국제사회를 향해 김학순 할머니가 용기 있게 나선 이후, 피해여성들에게 기억의 상징이자 20년 이상의 시간 동안 1,200회 넘게 계속해온 집회의 역사가 담겨 있는 '소녀상' 철거를 일본 정부는 요구하고 있다. 이번 '합의'의 진정한 목적은 피해여성들의 목소리(와 기억)를 막는 것이란 말인가.

나는 이용수 할머니가 한 말의 뜻을 페미니즘 윤리학에서 논의되는 '회복적 정의'(징벌 위주의 사법체제가 아니라 피해자의 상처와 고통 치유를 목표로 하는 사법 시스템으로의 변화를 추구하는 운동 ─ 옮긴이)의 관점에서 자세히 살펴보려 한다. 이번 '합의'가 이미 실패한 '여성을 위한 아시아 평화국민기금'(아시아여성기금)의 전철을 밟고 있고,[3] 또다시 피해여성의 '도덕적 인격'까지 짓밟는 ─ 그것은 인간으로서의 '죽음'을 뜻한다. ─ 것임을 밝히고 싶다.

또한 페미니스트가 생각하는 회복적 정의의 끝에 보이는 '화해'를 염두에 두고, 이번 합의에서 돌출된 '위안부의 명예와 존엄의 회복, 마음의 상처 치유를 위한 사업'이란 어떤 것이어야 하는지 마지막 부분에 제시할 것이다. 앞으로 일본 정부에 무엇

을 호소해야 하는지 한일 시민사회에서 제안한 것들을 토대로
우리가 해야 할 일을 살펴보기로 한다.

페미니즘 윤리학과 폭력론

'회복적 정의'를 자세히 살펴보기 전에, 페미니즘 윤리학에
관해 간단히 설명해두고자 한다.(오카노, 2012 참고) 이렇게 하는
데는 이유가 있다. 이 글에서 이야기하는 회복적 정의의 전제
로써, 전통적인 남성 중심의 철학과 정치학을 통해 논의되어온
정의론(모든 사람에게 동등한 경의와 배려를 가지고 평등하게 대하라.)
이 상정한 것과 다른 인간상이 존재하며, 나아가 그 인간상은
여성들의 경험에서 만들어졌지만 국내 및 국제 정치에서 경시
되고 무시되어온 소중한 가치를 보여주고 있기 때문이다.

일반적인 정의론이 정의에 걸맞은 이상적인 사회를 상정하
고, 그 이상적인 상태에서 자유롭고 평등한 인간 사이에서 일
어나는 알력을 공정하게 처리하기 위한 규칙을 발견하려 한
다면, 페미니즘 윤리학이 주목하는 것은 자립과 거리가 먼 무
력한 존재를 돌봐줘야 할 책임이 떠맡겨져 다른 사람의 케어
(Care)에 많은 노력을 할애하는 것이 당연하게 여겨져온 여성
들의 경험이다.

일반적인 정의론은 "자신에게 가치 있는 것을 스스로 결정할 수 있다"고 하면서 도덕적 능력에서 사람은 평등하다고 생각한다. 그러나 그 논리와 더불어 여성은, 다른 사람의 요구에 응할 책임이 있는 사회적 상황에 놓여 있기 때문에 자신의 삶을 주체적으로 정할 수 없는 뒤떨어진 존재로 차별받아왔다. 오랜 세월 동안 도덕적 인격을 인정받지 못한 것이다.

남성의 정의론이 순진하게도 "모든 사람은 자유롭고 평등하다"고 생각할 수 있었던 것은 여성에게 케어 노동을 강제하고, 그 노동을 착취했을 뿐만 아니라 평등한 사람의 부류에서 여성을 배제해왔기 때문이다.

미국의 페미니스트 철학자 아네트 바이어(Annette Baier)에 따르면 "오랫동안 깨닫지 못했던 도덕적 프롤레타리아트는 가사노동자이고, 대부분은 여성이다."(Baier, 1994 : 26) 즉, 남성의 정의는 여성과 어린이 등을 도덕적 인격에 포함시키지 않음으로써 관철되었다고 한다.

사회적으로 자신의 욕구를 제쳐놓으면서까지 다른 사람의 니즈(needs)에 따라야 하는 여성의 경험에서 만들어진 윤리에는 다음의 세 가지 특징이 있다.

첫째, 여성이 정의와 관련해 요구하는 것은 현재의 부정의(不正義)—착취, 주변화, 무력화, 문화규범의 강제, 그리고 폭력적인—를 근절하는 것이다.

둘째, 여성 한 사람 한 사람은 같은 사회에 살면서 출생과 능력, 체력 외의 여러 가지 차이로 각기 다른 상황에 놓여 있다. 또한 모자관계에서 전형적으로 나타나듯 인간은 누군가에게 의존하는 존재이고, 건강한 사람일지라도 인생의 한 시기는 반드시 다른 사람에게 전적으로 의존하지 않으면 살 수 없는 상호의존적 존재이다. 이는 부정하기 어려운 인간 존재의 조건으로, 좋은 것도 나쁜 것도 아니다.

인간이 각기 '다른' 것은 당연하다. 다만 바이어가 비판한 것처럼, 문제는 그 '다름'을 둘러싸고 일부 사람에게 부담을 강요하거나 여성의 삶의 폭을 좁히는 것이다. 따라서 사회적 불평등이란 같은 사회에서 같은 규칙을 따르며 살고 있음에도, 누군가에게는 애초 선택의 길이 닫혀 있거나, 선택 또는 판단할 능력을 키울 제도가 존재하지 않는 것이다. 또 다른 한편으로 일부는 그 제도 속에서 살아가는 한 자신의 판단력이나 선택능력, 그리고 삶의 폭이 확대된다. 이것은 바로 사회제도와 구조의 문제이다.

인간은 상호의존적 존재로 수많은 '다름' 속에서 살고 있다. 그런 인간의 조건이 부정의로 바뀌는 것은 사회제도와 구조가 사람들 사이에 불평등을 초래하기 때문이다.

이상의 사실에서 세 번째 특징, 즉 개인에 대한 심각한 침해라고 할 수 있는 폭력에 관해서도 구조적으로 이해할 수 있다.

폭력을 예외적인 개인의 일탈행위로 보는 게 아니라 오히려 왜 특정한 소수자가 폭력에 직면하는가, 왜 계속 폭력에 처할 공포를 느껴야 하는가 등, 폭력을 둘러싼 사회비판적 관점이 생겨나는 것이다.

사회에서 지배적 지위에 있는 사람에게는 보이지 않는 폭력, 특정한 사회적 지위에 있는 사람들이 거듭 당하게 되는 '폭력을 가능하게 하고 이를 받아들이게 만드는' 사회상황 자체를 폭력으로 부각시키는 것이다.(Young, 1990 : 61)

회복적 정의란 무엇인가

폭력이란 원래 전통적인 정의론에서도 개인의 도덕적 가치―누구나 자신이 욕망하는 대로 살아갈 가치가 있다―를 물리적으로 훼손하는 행위로써 엄격하게 금지되어왔다. 그러나 많은 페미니스트들은 한 개인에 의해서 이루어지는 범죄로만 파악하는 것에는 한계가 있다고 생각한다. 그들의 주장에 따르면 폭력은 개인적이기는커녕 관계성 속에서, 도덕적 능력뿐만 아니라 그 정체성(identity)마저도 함양되어 나갈, 곧 인간이 자리를 잡고 살아가야 할 사회구조 속에서 발생한다.

1980년대 이후 많은 페미니스트에게 영향을 준 캐럴 길리건

(Carol Gilligan) 역시 "폭력은 불평등에 내재되어 있다"고 말했다.(Gilligan, 1993:100) 따라서 친밀한 사적 관계 속에서 생기는 가정폭력 같은 행위도, 그런 폭력에 처하기 쉬운 사람(대부분은 여성이나 어린이)을 만들어내는 불평등한 사회관계가 변하지 않는 한 가해자 개인을 아무리 처벌해도 폭력문제는 사회에 계속 남게 된다.

이런 철학적 배경을 통해, 아울러 보유한 파워(power)의 압도적인 차이, 환경의 상이성, 신체적·시간적 상이성을 고민해가면서, 다른 한편 모자관계라는 비대칭성 속에 비폭력을 실천하고자 해온 경험에서 탄생한 페미니즘 윤리로부터,[4] 폭력이 빚어진 뒤 사회에 요구되는 것이 무엇인지, 피해자에게는 어떤 케어가 필요한지, 나아가 정의를 회복하려면 무엇을 해야 하는지를 따져보는 '회복적 정의'에 대한 논의가 태어났다.

여기서는 미국의 페미니스트 철학자인 마거릿 워커(Margaret Walker)의 주장을 참고하면서 '회복적 정의'의 특징을 명확히 밝히고자 한다.

『도덕적 회복 — 위해(危害) 이후 도덕적 관계성의 재구축』이란 책에서 워커는 사람들이 서로 응답할 때의 일반적인 태도, 신뢰할 수 있고 적어도 공유되리라 여겨지는 행동기준을 유지하면서 사회생활하는 상태를 '도덕적 관계를 맺고 있는 상태'로 보았다.

그리고 도덕적―'나와 마찬가지로 당신 또한 당신 생각대로 살아갈 가치가 있다'고 서로 인정하는―신뢰관계 속에서 생활해 나감으로써 자신이 한 것, 하지 않은 것에 대해 우리에게는 책임이 생긴다. 이는 최우선적으로 일정하게 기대되는―도덕적 신뢰관계 속에 있다면 당연히 그러할―방식으로 행위하지 않았을 때, 왜 신뢰를 배신하는 형태로 행위했는지를 설명할 책임이다. 따라서 설명을 요구하고 요구받는다는 책임이 발생하려면 전제가 있다. 그것은 호응관계에 있는 사람들이 확실히 하나의 도덕적 관계성 속에서 살아가는 평등한 사람일 것, 그리고 그녀들이 포함된 공동체가 그런 관계성을 유지하고자 하는 도덕적 규범 및 질서를 공유한다는 믿음을 가질 수 있어야 한다는 것이다.(Walker, 2006:23)

워커는 우리가 폭력적 행위나 위해를 생각할 때, 특히 심각한 위해를 받은 사람의 상처를 어떻게 치유할지를 생각할 때, 사람들이 맺고 살아가는 이 도덕적 관계성―설명을 요구하고 요구받는 관계성―이 열쇠가 된다고 했다. 사람이 도덕적 관계성 안에서 살기 위해서는 이미 말한 것처럼 일정한 도덕적 규범 등 '공유된 기준'에 대한 확신, 모든 개인 사이 또는 인간적 환경에 대한 신뢰, 다른 사람과 마찬가지로 우리에게도 도덕적 가치와 신뢰할 만하다고 기대할 수 있어야 한다.(Walker, 2006:24)

우리가 일상 속에서 다른 사람에게 상처를 입히면, 이런 세가지 중요한 점에서 상대와의 도덕적 관계성이 파괴된다. 따라서 관계성을 회복하기 위해서는 어느 행위가 위해에 해당하는지 인지하고, 행위의 이유를 설명하고, 사죄하고, 때로는 배상을 하기도 한다.

그러나 조직적·정치적인 데다 역사적 각인을 동반하는 폭력이 발생하는 경우, 애초부터 가해자와 피해자 사이에 이런 도덕적 관계성이 존재하지 않는다. 워커는 증오범죄나 인종차별에 뿌리를 둔 범죄 등에서 두드러지는 점은 아래와 같다고 설명한다.

"가해자가 자신에게 책임이 부과되는 규범을 공유하지 못하거나, 자신이 가해한 피해자에게도 권리가 있고 그런 자신에게 설명책임이 있다는 도덕적 판단 등으로 이루어진 공동체를 인정하려 들지 않는 때가 있다. 가해자 또한 자신이 내린 판단이나 본인의 성격이 의문에 부쳐지는 것을 못 견뎌할지도 모른다. 아니면 자신이 상처입힌 사람들뿐만 아니라, 자신을 심판하려는 사람들에게 무관심한 체하거나 업신여기려 들기도 한다. 더욱이 자신을 심판하려는 사람들과 피해자들을 싸잡아서 무능하고 오만하고 가치 없는 존재, 아니면 악마와도 같은 존재라고 간주함으로써."(Walker, 2006:202)

워커가 성폭력 피해에 주목한 것처럼, 특히 일본군 성노예라는 식민지주의와 인종차별, 여성차별을 배경으로 한 조직적이고 심각한 인권침해를 생각할 때, 우리는 무엇보다 피해자의 당시 사회적 지위 및 가해자와의 관계에 주목해야 한다.

'회복적' 정의라고 하면 피해당하기 이전의 상태로 회복하는 것이라고 여기기 쉽다. 그러나 페미니즘 윤리학에서 바라보는 관점은 다소 다른 측면이 있다. 사회의 현상태를 살펴보면 대체로 그릇된 젠더 규범을 들이대 여성들의 도덕적 인격을 존중하지 않는다. 바로 그런 사회제도와 구조의 문제를 통해 부정의를 파악한다는 점에서 알 수 있듯, 페미니스트 윤리학이 말하는 정의란 단순한 원상회복을 목표로 하지 않는다. 피해여성들 또한 자신이 원하는 대로 살아갈 가치를 지닌 존재였으나, 가해자들로 말미암아 그만 그 길이 좌절되고 말았다. 그러므로 그런 그들의 과거로 거슬러 올라가는 동시에 새로운 미래를 향해 나아가야 한다. 이를 위해서는 그들이 살아갈 세계에서의 도덕적 관계성의 재구축까지도 포함한 회복이 필요한 것이다.

회복적 정의에서 무엇보다 중시하는 것은 현재 시점에 피해여성들 자신이 입은 피해와 관련하여 가해의 원인이 무엇인지, 가해를 낳은 사회·정치적 현실을 인식하고, 나아가 왜 자신들의 피해가 피해로써 인정되지 않았는지를 가해자들에게 되물을 자격을 지닌 존재임을 인정받아야 한다는 사실이다. 즉, 그들이 일정한 규범이 공유된 도덕적 공동체의 일원이라는 것을 가해자뿐만 아니라 사회적으로 널리 인정받아야 한다. 바로 이를 위한 프로세스가 회복적 정의에 반드시 필요하며, 만일 그게 없다면 정의의 회복도 없다.

이상의 관점에서 워커는 수많은 역사적 위해사례 가운데에서도 특히 아시아여성기금의 실패가 얼마나 심각한 문제를 품고 있었는가를 통렬히 지적한다. 『회복적 정의란 무엇인가』에서 그녀는 도덕적 관계성 회복 프로세스에는 피해자를 타인과 대등한 존재로 존중한다는 의미를 지닌 '상호 커뮤니케이션', 다가올 미래에도 그들의 존엄에 경의를 표하는 태도에 변함이 없을 것임을 보증하는 '모범사업'이 가능하다고 설파한 뒤 이렇게 말했다.

> "그러므로 회복을 위한 표현과 함께 떠안아야 할 책임은 배상을 제시함과 동시에 '우리가 나빴다' '여러분이 상처입었다' '우리는 이런 위해를 바로잡을 의무가 있다' 등과 같은 기본적인 메시지를 뛰어넘어야 한다. 우선은 더없이 처참하고 쓰라린 과거를 인정하기 위해 책임은 과거로 거슬러 올라가지 않으면 안 된다. 그러나 거기에서 그쳐선 안 되며, 바로잡힌 관계성을 보여줌과 동시에 약속한 미래로까지 그 책임이 이어져나가야 한다."(Walker, 2010:28)

워커의 회복적 정의에 비추어 볼 때 아시아여성기금은 말할 필요도 없고, '불가역적 해결'을 지향하는 이번 합의는 근원적인 부분에서 정의를 회복하는 프로세스를 좌절시켰다. 뿐만 아니라 이용수 할머니의 말처럼 피해여성을 '다시', 아니 몇 번씩이나 죽이는 결정이다.

워커는 아시아여성기금의 실패 원인으로 세 가지를 꼽았다. 이는 이번 합의에도 해당하므로 잠시 살펴보기로 하자.

첫째, 금전적 제시액이 아무리 거액일지라도 아시아여성기금이라는 모호한 이름처럼 "여성들이 입은 심각한 학대의 본질은 전혀 인정하지 않았다."(Walker, 2010 : 24)(2016년 1월 18일 참의원 예산위원회에서 아베 총리는 성노예에 대해 '정부 입장에서 그것은 사실이 아니다'라고 답변)[5] 아베 총리가 '마음으로부터의 사죄'를 말하면서도 국회에서는 성노예제도를 부정하는 발언을 되풀이하는 한, 일본 사회 전체는 사죄를 거부하고 있다고 할 수 있다. 위안소 문제의 본질이 성노예제라는 것을 인정하지 않는 한[6] "금전적 지급은 몹시 불쾌하고 모욕적인 의미를 지닌다."(Walker, 2010 : 23)

둘째, 전시 성폭력에 대한 회복 프로세스에서는 보통 피해자의 이야기를 주의 깊게 듣거나 오랜 시간 대화해야 한다. 또 피해자들이 말할 수 있게 그녀들을 둘러싼 사회에서 성적 피해란 어떤 것인지를 널리 교육하고, 피해자들에게 부담이나 새로운 가해(加害)가 생기지 않도록 충분히 환경을 정비해야 한다.

그러나 일본 정부, 그리고 이번에는 한국 정부도 할머니들과 대화하지 않았으며, 할머니들이 원하는 것이 무엇인지 충분히 듣지 않은 채 '합의'를 결행했다. 이용수 할머니가 외교통상부 차관을 향해 "왜 우리를 배제했는가?"라고 따진 것에서 알 수 있듯이, 피해여성들과의 대화를 거절함으로써 그녀들의 도덕적 가치가 완전히 부정되었다. 할머니들의 목소리에 귀기울이지 않고, 앞으로 어떤 사업을 전개할지 말하는 자리에 할머니들을 초대하지 않음으로써, 피해자들의 도덕적 인격은 계속 부정당했다. 이런 공공연한 부인으로 과거 성노예제 하에서 그녀들의 인격을 부정한 — 인간으로서 '죽인' — 것에서 나아가, 이번에 또다시 죽이는 결과를 초래한 것이다.

셋째, 일본 정부는 아베 신조의 강력한 정치적 개입으로 중학교 교과서에서 '위안소'에 관한 기술을 삭제했다.[7] '위안소'가 왜 생겼는지, 당시 여성들이 어떤 상황에 있었는지를 뺀 것이다.

일본 식민지주의의 역사를 사회적으로 인정하지 않는 것은 회복적 정의에서 가장 중요한 '도덕적 관계성'의 회복을 포기한 것이나 다름없다. '소녀상' 이전에 관한 일본 정부의 태도에서도 알 수 있듯이 일본 정부의 '위엄 유지'에만 관심을 보일 뿐,[8] 할머니들의 호소에는 귀를 기울이지 않고 있다. 식민지 시대부터 지금까지 일본 정부는 일관되게 피해여성들을 모욕해

일본 활동가들이 말하는 한일 '위안부' 합의의 민낯

왔다. 워커는 이렇게 말한다.

> "부정의의 피해자가 구조적 폭력, 사회적 지배, 혹은 주변화, 나아가 빈
> 곤으로 계속 고생하는 집단에 속해 있을 경우, (회복적 프로세스가 약속
> 하는 상호행위가 계속되지 않는) 결과로 귀결되기 십상이다. 과거의 부
> 정에 대한 회복을 목표로 삼는 모든 일회성 조치 그 자체로는 뿌리 깊은
> 모멸의 패턴이나 그런 패턴을 표출 혹은 존속시키는 물리적 조건을 제
> 거할 수 없기 때문이다."(Walker, 2010:26)

맺음말_누구를 위한 무엇과의 화해인가

지금까지 설명한 것처럼 이번 '한일합의'는 오랜 세월 피해
여성들이 호소해온 해결책에 대해 아무런 언급도 없었다.[9) 더
구나 '위안소'에서 행해진 어떠한 행위가 '여성의 명예와 존엄
에 깊은 상처를 남겼는지' 명시하지 않은 채 또다시 금전적 해
결만을 강조했을 뿐이다. 일본 정부는 식민지주의를 포함한 일
본의 과거를 어떻게 뉘우치고, 미래의 새로운 관계를 구축하기
위해 어떤 책임을 질 것인지에 대해 입을 다물었다. 즉, 회복적
행위를 전혀 하지 않은 것이다.

한일합의에서 "위안부 분들의 명예와 존엄의 회복, 마음의 상

처를 치유하기 위한 사업을 하겠다"고 약속했지만, 현시점의 실천 프로세스는 이미 그 약속을 배신하고 있다.

나는 예전부터 과거에 심각한 폭력피해를 당한 사람이 정의를 복원하기 위해선 화해=이해가 필요하다고 논한 바 있다. 여기서 말하는 화해란 가해자와 피해자 사이에 용서하고 용서받는 관계에 들어감을 의미하지 않는다. 이 원고에서 거듭 언급한 바와 같이 피해여성들 스스로 자신들이 살아갈 사회가 "모든 사람을 어엿한 인격체로, 즉 무한한 잠재적 기치를 지닌 자유로운 존재로 존중하고 있음을 이해할 때야말로 비로소" 화해가 이루어지는 것이다.(오카노, 2015:62-63)

지금 언론에서 흘러나오는 일본 사회의 '한일합의'에 대한 평가는 "앞으로 한국 정부가 어떻게 나오느냐에 달렸다"는 분위기가 우세하다. 그러나 '위안부 여성들의 존엄'을 진정으로 회복시키려면 일본 사회가 그들과의 도덕적 관계성을 다시 맺고, 새로운 도덕적 공동체를 창조하기 위해 과거와 미래를 오가는 사회로 바꾸어야 할 것이다.

대화의 장에서 가해자가 피해자를 배제한 채 용서를 강요하다니 있을 수 있는 일인가. '위안부' 할머니들이 이런 사태를 어떻게 받아들이겠는가. 이렇게 해서는 할머니들을 세계와 화해시킬 수 없다. 일본 정부뿐만 아니라 일본 시민들도 할머니들의 도덕적 가치를 헐뜯으며 모욕하는 일에 지속적으로 가담하고 있다는 사실을 깨달아야 한다.

주
————————

1) 〈노컷뉴스〉(2016년 1월 25일);〈한겨레신문〉(2015년 12월 31일).

2) 〈아사히신문〉 조간(2016년 1월 15일 4면).

3) '아시아여성기금'의 실패에 대해서는 1995년 기금 설립을 위한 와
다 하루키(和田春樹. 도쿄대 명예교수)의『위안부 문제의 해결을 위해
— 아시아여성기금의 경험에서』를 보면 당시의 상황을 알 수 있다.
특히 전후 50년 국회 결의를 둘러싸고 "어떠한 사죄도, 반성도 해서
는 안 된다"는 오쿠노 세이스케(奧野誠亮)가 회장으로 있던 국회의원
연맹에 이제 막 의원이 된 아베 신조가 사무국 차장으로 취임해 세력
확대에 힘을 쏟았던 점, 전후 50년을 경계로 '후세에 역사적 화근을
남기는 국민적 결의'를 허용하지 않겠다는 자민당 의원이 급증한 점
등 현재 아베 신조 총리의 역사 인식에 관해 알 수 있다.

4) 나는 예전에 '어머니적 사고'(母的思考)가 평화구축을 지향하는 정
치적 투쟁에 참여하는 것이라 정의하고, "평화구축자는 폭력에서 눈
을 돌리는 자가 아니라 오히려 폭력을 찾아내고 누가 어떻게 상처 입
혔는지 자세하게 조사하려는 자"라고 말했다.(오카노, 2012 : 276) 또
한 '윤리'라는 용어는 여러 가지로 정의할 수 있겠지만, 이 글에서는
다른 누구에게도 의지하지 않고 행동하는 남성의 행동규범을 가리
키는 도덕이 아니라, 오히려 '존재의 불확실성, 구체적 맥락 속에서
의 관계'라는 뜻이 어울린다.(브뤼젤 2014 : esp. 42~45). 브뤼젤에 따

르면, '여성들의 목소리, 케어의 주제가 중요한 것은 규칙이 명확하지 않고 결여되어 있는 경우, 확실성이 없는 경우, 개개인이 곤란하거나 문제를 껴안고 있는 경우'로, 윤리는 케어의 관계에서 더 명확해진다.

5) 〈산케이신문〉(2016년 1월 21일).

6) 위안소가 왜 성노예제도인가에 대해서는 〈'위안소' 제도는 왜 군사적 성노예제도인가〉(오카노, 2014)에서 언급했다.

7) 유일한 예외가 마나비샤(学び舍)의 역사교과서이다. 중학교 교과서에서 2011년 사라진 이후 4년 만에 기술되었다.

8) '한일합의' 후 한국 외교부장관의 발표에 따르면, "한국 정부는 일본 정부가 주한 일본대사관 앞의 소녀상에 대해 공관의 안녕·위엄의 유지라는 관점에서 우려하고 있다는 점을 인지"하고 있다고 한다.

9) 와다의 말처럼 피해 당사자가 받아들일 수 있는 해결책은 '아시아연대회의'에서 제시한 것이 가장 타당하다고 생각한다. 일본 정부에 대한 제언으로 제출한 해결책은 와다 히데키, 『위안부 문제의 해결을 위해—아시아여성기금의 경험에서』, 198-199쪽 참조.

참고문헌

● 오카노 야요(岡野八代), 『페미니즘 정치학—케어의 윤리를 글로벌한 사회로』(미스즈쇼보, 2012).

● _____, 〈'위안소' 제도는 왜 군사적 성노예제도인가〉(『세계』 11호, 2014).

● _____, 『전쟁에 항거한다—케어의 윤리와 평화의 구상』(이와나미쇼텐, 2015).

- 파이엔 브뤼젤 저, 하라야마 데쓰(原山哲)·야마시타 리에코(山下りえ子) 역, 『케어의 윤리—신자유주의(Neo-liberalism)에 대한 반론』(하쿠스이샤白水社, 2014).

- 와다 하루키, 『위안부 문제의 해결을 위해—아시아여성기금의 경험에서』(헤이본샤平凡社 신서, 2015).

- Gilligan, Carol, *In a Different Voice : Psychological Theory and Women's Development*, 2nd ed.(Cambridge, MA : Harvard U. P., 1993).

- Baier, C. Annette, *Moral Prejudices : Essays on Ethics*(Cambridge, MA : Harvard University Press, 1994).

- Walker, U. Margaret, *Moral Repair : Reconstructing Moral Relations after Wrongdoing*(Cambridge : Cambridge University Press, 2006).

- _____, *What is Reparative Justice?*(Milwaukee : Marquette U. P, 2010).

- Young, M. Iris, *Justice and Politics of Difference*(Princeton : Princeton University Press, 1990).

한일은 12·28 합의를 백지화해야 한다

길윤형 특파원(인터뷰 진행)
〈한겨레신문〉 2016년 1월 8일

요
시
미

요
시
아
키

吉
見
義
明

주오대학 교수

일본군 개입을 명확하게 밝힌 요시미 교수

"이번 합의는 백지로 돌려 다시 한 번 생각해볼 수밖에 없다. 어려울 땐 근본으로 돌아가야 한다."

일본 내 일본군 위안부 연구의 1인자로 꼽히는 요시미 요시아키 주오대(中央大) 교수가 위안부 문제를 '최종적 및 불가역적으로 해결'됐다고 선언한 한일 정부 사이의 '12·28 합의'를 백지화하고 원점으로 되돌아갈 수밖에 없다는 견해를 밝혔다. 요시미 교수는 그 이유로 "이 합의는 피해자 할머니들이 납득할 수 있는 내용이 아니기 때문"이라고 지적하며, "이번 합의가 실행 과정에 들어간다 해도 피해자들이 받아들이지 않는다. 이는 이번 합의로 문제가 해결될 수 없음을 뜻하는 것"이라고 말했다.

요시미 교수는 위안부 제도에 대한 일본 정부의 인식에 진전이 있었다는 한국 정부의 주장에 대해선 "위안부 제도를 만든 책임의 주체가 누구인지 여전히 애매한 데다, 1993년 고노 담화 때와 달리 '재발방지' 조처에 대해선 아무것도 약속하지 않았다. 예전보다 오히려 후퇴한 것"이라고 반박했다.

요시미 교수는 1992년 1월 일본 방위연구소 도서관에서 일본군이 위안부 제도를 만드는 데 깊숙이 개입했음을 밝힌 일본의 공문서를 최초로 발굴한 위안부 연구의 선구자로 꼽힌다. 그의 문서 발굴은 위안부 모집 등의 강제성과 군의 관여를 인정한 1993년 고노 담화로 이어지게 된다.

현재 요시미 교수는 2013년 5월 사쿠라우치 후미키 일본유신회(당시) 중의원 의원이 그의 저서를 '날조'라고 공격한 데 대한 명예훼손 소송의 1심 판결(2016년 1월 20일)을 앞두고 있기도 하다.[1] 이 소송은 위안부 제도의 성격에 대한 일본 사법부의 판단을 요청한 것이란 의미도 담고 있어, 일본 사회에서 큰 주목을 받고 있다.

"결론부터 말해 이번 합의로는 위안부 문제가 해결되지 않을 것이라 생각한다. 이게 최종적인 해결이라면 지난 20년 동안 뭘 했냐라는 얘기가 나올 수밖에 없다. 이번 합의는 일본 정부가 한국 정부를 몰아붙여 (위안부 문제의 올바른 해결을 향한) 피해자의 염원을 봉쇄하려는 것으로 보인다.

여러 문제가 있지만 가장 큰 것은 역시 '(위안부 제도를 만들어) 여성에 대한 중대한 인권침해를 한 주체가 누구인가'라는 점이다. 책임의 주체가 여전히 애매하다. (기시다 후미오 외상이 지난해 12월 28일 발표한 내용을 보면) '위안부 문제는 군의 관여 하에 다수 여성의 명예와 존엄에 상처를 입힌 문제'라는 표현이 나온다. '군의 관여'가 아니라 '군이'라고 주어를 분명히 해야 한다.

업자가 개입된 경우에도 군이 주체이고 업자는 종속적인 역할을 했다. 군에 책임이 있다면, 정부는 피해자들에게 '배상'을 해야 한다. 그러나 기시다 외상은 10억 엔의 출연금이 '배상이 아니다'라고 말했다. '일본 정부는 책임을 통감한다'는 표현에서 (이전과 달리) '도의적'이라는 표현을 뺐다고 좋아하는 이들도 있다. 그러나 결국 배상이 아니고 법적 책임을 인정한 것도 아니다. 그렇다면 일본이 통감하는 책임이 뭐냐는 의문이 생긴다. 업자가 나쁜 짓을 했는데 정부가 이를 제대로 단속하지 못해 사죄한다는 것에 불과하다."

●●● 한국 정부는 1993년에 나온 고노 담화와 비교할 때 진전이라고 주
장한다.

"일본은 고노 담화 때와 달리 '재발방지'에 대해 아무것도 약
속하지 않았다. 고노 담화에선 '역사연구, 역사교육을 통해 이
런 문제를 오래도록 기억에 머무르게 한다'는 내용이 담겨 있
었다. 그러나 이번엔 10억 엔만 내면 아무것도 안 해도 되는 구
도가 만들어졌다. 고노 담화보다 후퇴한 것이다.

이에 견줘 한국 정부는 소녀상의 철거를 위해 노력한다는 의
무를 지게 됐고, 국제사회에서 이 문제를 다시 거론하지 않겠
다는 약속도 했다.

기시다 외상은 한국 정부가 위안부 관련 증언과 기록을 유네
스코 세계기록유산으로 등재하지 않을 것이라 말하고 있다. 이
를 볼 때 한국 정부가 외교적으로 실패한 게 아닌가 한다. 피해
자 입장에서 도저히 받아들일 수 있는 내용이 아니다."

●●● 위안부 제도와 관련된 지금까지의 연구 성과를 보면, 일본에 법적
책임이 있다는 게 당연해 보인다. 이를 인정하는 게 왜 이토록 어
려울까?

"전후 70년이 지났지만, 일본은 여전히 식민지배나 전쟁책임
문제와 제대로 마주하지 못하고 있다. (한국인들에게) 미안하지
만, 이를 극복하려면 시간이 더 필요할 것 같다. 미국이 필리핀

지배나 베트남 전쟁에 대해 제대로 사죄하지 않는 것처럼 일본
도 좀처럼 그게 쉽지 않다.

그러나 이런 상태가 계속된다면 일본이 동아시아나 국제사
회에서 제대로 살아갈 수 없을 것이라고 생각한다. 일본인들이
이를 깨달을 때까지 '위안부 문제는 해결되지 않았다'고 계속
주장할 수밖에 없다.”

● ● ● 위안부 문제를 둘러싸고 일본의 진보세력들이 여러 차례 분열을
겪었다.

“결국 (1995년) 아시아여성기금도 피해자들의 의사를 제대로
듣지 않아 실패하고 말았다. 이번에도 같은 일을 했다. 당시 기
금을 추진한 사람들은 지금의 일본 정부나 관료들이 '이 정도
밖에 받아들이지 않으니까 이쯤만 하자'는 생각이 너무 강하다.
그러나 이를(이런 사고방식을) 바꾸지 않으면, 문제는 해결되지
않는다.”

● ● ● 합의 이후 주한 일본대사관 앞의 소녀상 철거 문제가 쟁점이 됐다.

“가해국이 피해국에 기념물 같은 것을 철거하라고 요구하는
것은 보통 있을 수 없는 얘기다. 유네스코 세계기록유산 등재
문제도 그렇다. 일본 정부는 고노 담화에서 '오래 기억에 머무
르게 한다'고 국제사회에 공약을 했다. 따라서 일본 정부가 중

국 등과 협력해 (위안부 관련 증언과 기록을) 유네스코 기록유산으로 지정되도록 노력해야 한다. 특히 실제 위안부 관련 자료는 대부분 일본이 갖고 있다."

● ● ● 현실외교적으로 국가 간의 약속을 단숨에 뒤집긴 쉽지 않다는 지적도 있다.

"이번 합의가 실행 과정에 들어간다고 하자. 피해자들이 받아들이지 않으면 어떻게 할 것인가? 그럼 합의 이행이 불가능해진다. 그래서 최종 해결이 되지 못한다는 것이다.

일본에선 이미 이 문제가 해결됐다고 받아들이고 있다. 일본은 10억 엔 출연을 끝으로 모든 사업을 한국 정부에 떠넘기고 자신은 아무것도 안 해도 된다. 이것으로 모든 것이 끝이라는 것이다. 매우 지독한 얘기다."

● ● ● 앞으로 위안부 운동은 무엇을 목표로 해야 할까?

"결국 한일 양국 정부가 단합해 피해자들에게 '더 이상은 말하지 말라'고 억누르는 구도를 만들었다. 이번 합의는 상식적으로 생각하면 있을 수 없는 내용이 포함돼 있다. 따라서 백지로 돌려 다시 한 번 생각해야 한다.

시간이 걸리더라도, 어려울 땐 근본으로 돌아갈 수밖에 없다. 할머니들이 한국 사회에서 고립된 상태라면 곤란하지만, (지금

한국 사회의 분위기로 봐서) 그렇지 않다니 다행이다. 이번 합의로
는 한일 간 신뢰관계가 만들어지지 않는다."

주
_____

1) 2016년 1월 20일, 도쿄 지방재판소는 위안부 제도가 성노예제인지
아닌지에 대한 판단을 피한 채 명예훼손의 법률해석으로 원고의 청
구를 기각했다. 원고는 항소했으며, 이제 무대는 도쿄 고등재판소로
옮겨졌다.

한일 '위안부' 합의를 비판한다
사회 각계각층의 메시지

'가해의 기억'을
계승해나가자

노
히
라
신
사
쿠

野平晋作

피스보트(Peace Boat)
공동대표

"당신 누구예요? 뭐하는 사람이에요? 해결했다고 보고하러
왔어요? 당신이 내 인생을 살아주는 거예요? 아니잖아요. (협
상)하기 전에 먼저 피해자를 만나야 할 것 아니에요? 역사의 증
인이 이렇게 살아있는데."

한일 양국 정부가 '위안부' 문제를 정치적으로 타결한 뒤, 피
해자를 만나러 간 한국 외교통상부 차관에게 일본군 '위안부'
피해자인 이용수 할머니가 한 말이다.

이용수 할머니의 이 말에 이번 한일합의의 본질이 그대로 드
러난다. 한일 정부는 피해당사자의 목소리를 듣지 않고 멋대로
합의해버렸다. 피해자가 배제된 합의는 아무런 해결책이 될 수

없다.

이번 합의에는 커다란 문제점이 한 가지 더 있다. 일본 정부가 이 합의를 '최종적·불가역적' 해결이라고 강조하는 것이다. 일본 정부는 '최종적·불가역적'이라는 말을 "두 번 다시 문제 삼지 마"라는 뜻으로 사용하고 있다. "두 번 다시 문제 삼지 마"라는 말은 가해국이 피해국에 할 말이 아니다.

'최종적·불가역적' 해결이란 말에는 주한 일본대사관 앞의 소녀상 철거와 함께, '위안부' 문제의 증거자료를 유네스코 세계기록유산으로 신청하는 것을 철회하라는 뜻도 포함되어 있다. 피해국에서 문제 삼지 않겠다는 언질을 얻기 위한 대가로 사죄나 배상을 해서는 안 된다.

독일 총리가 홀로코스트에 대해 사죄하는 대신 아우슈비츠 수용소를 세계문화유산에서 빼달라고 하는가. 미국 대통령이 히로시마·나가사키 원폭투하에 대해 사죄하는 대신 "두 번 다시 원폭투하 문제를 제기하지 마!"라고 일본 정부에 요구하는가. 가해국 총리나 대통령이 그런 말을 입에 담으면, 가령 사죄나 배상을 했더라도 피해자는 절대로 가해국 정부를 용서할 수 없을 것이다.

이와 마찬가지로, 이번 한일합의를 '최종적·불가역적' 해결이라고 한국 정부에 집요하게 강조하는 일본 정부의 자세는 '위안부' 할머니들이 용서하기 어려운 작태임에 틀림없다. 배상이 피해자에게 사죄의 성의를 담보하는 것처럼, 가해국이 기억의 계승을 위해 노력하는 것은 반성의 깊이를 보여주는 증거라고 할 수 있다. 일본 정부는 두 번 다시 똑같은 과오를 되풀이하지 않기 위해 일본의 역사교과서에 '위안부' 문제를 기술하거나 자료관 또는 기념비를 만들어, 일본 내에서 우리가 저지른 가해의 역사를 계승해야 한다.

일본 정부가 해야 할 일은 피해자의 목소리를 진지하게 듣고 사실을 인정하는 것이다. 그런 인식 위에서 피해자에게 사죄하고 배상해야 한다. 그리고 일본 내에서 가해의 기억을 계승하기 위해 노력해야 한다.

아베 총리는 2015년 전후 70년 담화에서 "그 전쟁과 아무런 관계가 없는 우리의 아들이나 손자, 그리고 다음 세대 아이들에게 계속 사죄할 숙명을 지워서는 안 됩니다"라고 말했다. 이는 아시아의 여러 피해국이 또다시 과거의 일을 문제 삼지 않도록 전후 70년 담화라는 형태로 애써 과거를 반성하는 척하는 것으로 해석할 수 있다.

이번 한일합의의 '최종적·불가역적' 해결이라는 말은 아베 총리의 전후 70년 담화에 나오는 "다음 세대 아이들에게 계속 사죄할 숙명을 지워서는 안 된다"는 말과 밑바닥에서 서로 통하고 있다. 아베 총리가 "두 번 다시 문제 삼지 마"라는 발상을 고치지 않는 한, 아베 정권 아래에서는 '위안부' 문제뿐만 아니라 역사 인식에 관한 문제를 제대로 해결할 수 없을 것이다. 일본의 다음 세대가 아시아인들에게 신뢰를 얻기 위해서라도 일본 국민은 가해의 기억을 계속 이어나가야 한다.

사실을 인정하고 사죄하고 말로 계속 전하자

인권 측면에서 '위안부' 문제를
어떻게 해결해야 하는가

신
혜
봉

申惠丰

아오야마학원대학
법학부 교수

2015년 12월 28일 발표된 '위안부' 문제에 관한 한일합의. 일본군의 관여 하에 다수 여성의 명예와 존엄에 상처를 입혔다는 부분은 1993년의 고노 담화와 같다. 하지만 일본 정부가 "책임을 통감하고 있다"는 말을 추가한 것과 민간이 아니라 일본 정부가 자금을 출연해 재단을 만든다는 점에서 한층 진전된 합의라는 평가도 있다. 그러나 이번 합의에는 다음과 같은 문제가 존재한다.

우선 사실의 대전제로써 '군의 관여 하에'라는 표현 자체가 매우 모호하다. 다수의 공문서 외에도 재판에서 사실을 인정하거나, 고노 담화 당시 정부가 직접 조사한 결과(아시아여성기금

디지털기념관 〈정부조사 '종군위안부' 관련 자료집성〉 http://www.awf. or.jp/)에서도 위안소는 군이 스스로 고안해 설치했고, 여성의 모집과 육로·해로의 수송, 위안소 규제, 요금 결정 등의 관리를 포함해 군이 전면적으로 감독·통제했으며, 내무성이나 외무성 같은 군 기관도 깊이 관여했다는 사실이 밝혀졌다. 따라서 '군 의 관여 하에'가 아니라 '군이' 직접 설치하고 운용한 제도였다 고 솔직히 말해야 한다.

둘째, '여성의 명예와 존엄에 상처를 입혔다'고 했는데, 인권 침해의 실태에 대한 명확한 기술이 빠져 있다. 여성을 모집한 방법은 여러 가지로, 일본의 식민지였던 조선에서는 "공장에서 일하게 해주겠다"며 가난한 집안의 딸을 속여 데려간 일이 많 았다. 납치·협박·감언 등 끌려간 방법은 제각기 달랐지만, 감금 된 상태에서 연일 강간을 당한 것이므로 '성노예'였다고 할 수 있다.

모집과 이송, 관리에 대해 고노 담화에서는 "모두 본인의 의 사에 반해 이루어졌다"고 했지만, 아베 내각은 2007년 각의결 정에서 "군이나 관헌에 의한 이른바 강제연행을 직접 가리키는 기록은 보이지 않았다"고 하는 등 지금까지 일관되게 '납치 형 태의 강제연행'이나 '강제연행'이 없었다고 주장해왔다. 또한 그런 의미에서 볼 때 군이나 관헌이 직접 강제연행했음을 보여 주는 증거는 없다는 태도를 고수해왔다.

논의의 첫 단계에서 '납치 형태의 강제연행'이 아니며 마치 여성이 자유의사로 성적 봉사를 한 것에 지나지 않는다고 변명하는 태도는 피해자를 '위안부'로 만들며 현재까지도 거듭 모욕을 안겨주는 셈이다. 일본 정부, 특히 아베 정권이 이 문제에 취한 태도야말로 '다시 문제 삼는 것'이다. 그리고 이는 아시아여성기금을 포함한 일본의 자세나 사죄를 피해자 측에서 받아들이지 못하는 가장 큰 이유라고 할 수 있다. 아베 정권은 지금까지 취해온 태도를 확실히 부정한 뒤, 징집형태가 어떻든 피해여성이 성노예 상태에 있었음을 인정하고, 그 내용을 합의에 포함시켜야 한다.

셋째, '위안부' 문제를 후세에 전하기 위한 역사교육의 문제이다. 고노 담화는 "역사연구, 역사교육을 통해 이런 문제를 오래도록 기억에 남기며, 같은 과오를 결코 반복하지 않겠다는 굳은 결의"를 그나마 표명했다. 그러나 (아시아여성기금 디지털기념관 건립을 제외하면) 거의 실행에 옮겨지지 않았다. 오히려 이 문제를 조금이라도 축소하려는 일본 정부의 의지가 눈에 띄었을 뿐이다. 또한 NHK 등 매스컴에 대해 아베를 비롯한 자민당 정치가들이 노골적으로 개입하기도 했다. 현재 아이들이 배우는 역사교과서에서도 '위안부' 문제에 관한 기술은 거의 보이지 않는다.

이번 합의 역시 마찬가지다. 역사교육을 포함해 역사의 교훈을 후세에 전하는 것에 대해 한마디도 언급되지 않았다. 중대한 인권침해 사실을 역사의 교훈으로 가르치고, 말로 전하는 것은 사실 인정과 피해자의 명예회복, 나아가 똑같은 과오를 반복하지 않겠다는 재발방지의 관점에서도 매우 중요하다. 따라서 이러한 부분이 빠져 있다는 것은 큰 문제가 아닐 수 없다.

일본 측은 오히려 소녀상 철거나 불가역적 해결 운운하면서 피해자의 입을 틀어막으려 하는데, 과연 피해자가 받아들일 수 있을까.

이번 합의는 가해사실을 진심으로 인정하고 사죄하면서 피해자의 명예회복이나 재발방지를 도모하려 하기보다, 후세의 일본인에게 사죄를 되풀이하게 하고 싶지 않다는 일본의 자기 중심적 생각이 반영되었다고 할 수 있다. 일본에서 오히려 (독일이나 오스트리아처럼) 도시 중심에 기념비를 세우거나 역사박물관을 만드는 등 적극적으로 나서야 한다.

이번 합의는 전후 70년이나 지났음에도 불구하고 마땅히 포함되어야 할 내용이 많이 빠져 있다. 따라서 피해자 입장에서는 당연히 그것을 받아들이지 못하고 거세게 항의할 수밖에 없는 상황이다. 그런 사태를 초래했다는 점에서 이번 한일합의는 매우 유감스러운 일이 아닐 수 없다.

또다시 부정의(不正義)를
합의하다

安部浩己
아
베
고
키

가나가와대학 법과대학원
교수

추괴(醜怪, 추하고 괴상함), 호란(胡亂, 터무니없음), 패리(悖理, 도리
나 이치에 어그러짐). 한일합의는 그런 미친 말로밖에 표현할 수
없는 담합적 처사였다. '완전히 최종적인 해결'에서 '최종적 및
불가역적 해결'이라니. 밀실에서 머리를 맞대고 의논한 한일 정
책결정자들은 이런 수박 겉핥기 식의 방법으로 정말 문제가 끝
나리라 생각한 것일까. 역사를 똑바로 보지 않고 법의 정의를
오만하게 짓밟는 정치적 포악함 앞에서 과연 이것이 현실인지
정신이 아득해지려 한다.

결정적인 잘못은 대국(大國)의 뜻을 온몸에 휘감으면서, 고전
적인 국가 간 외교의 틀 안에서 문제를 처리할 수 있다고 생각

했다는 점이다. 샌프란시스코 평화조약이나 한일청구권협정이라는 정책결정 엘리트 간의 구시대적 합의에 따라 봉쇄된 수많은 부정의가 침묵을 깨뜨리고 공공의 자리에 나타난 이후, 문제의 차원은 국가에서 개인으로, 즉 국익에서 인간 존엄의 확보로 바뀌었다.

'위안부' 문제는 양국 간 외교로 정리될 것이 아니라 바야흐로 여성 인권이 관계된 보편적 과제이고, 나아가 20세기가 남긴 인종주의와 식민지주의가 극복해야 할 문제로 자리매김하고 있다. 한일합의는 그러한 인식의 근본적 전환에 대한 이해와 상상력이 너무도 부족했다고 하지 않을 수 없다.

김학순 할머니가 처음으로 위안부 피해사실을 알린 후, 한일청구권협정의 국한된 내용을 해명하는 역사연구가 더욱 정밀해졌다. 또한 한편에서는 시대를 관통하며 시간을 초월한 정의의 시점에서 '위안부' 제도가 일본을 구속하는 국제법규에 심각하게 저촉된다는 인식이 깊어지고 있다. 덧붙여, '위안부' 문제는 지나간 과거 속에 기념비처럼 서 있는 게 아니라 현재로 이어지는 중대한 인권문제이다. 따라서 자유권규약위원회를 비롯해 인권에 관한 모든 조약과 기관이 정기보고와 심사 때마다 일본에 시정권고를 내리는 것이다.

이번의 합의 과정에서 한일 양국이 인권에 관한 국제법의 규범적 실정을 어떻게 고려했는지 전혀 알 수가 없다. 당사자들의 목소리에도, 국제사회의 요청에도 관심을 기울이지 않고, 모든 게 불투명한 상태에서 내놓은 것이 이번 한일합의 아닌가. 법규에 어긋난, 고도의 정치적 속임수라고 말할 수밖에 없다.

아베 총리가 말한 '마음으로부터의 사죄와 반성'만 해도 그렇다. 당사자가 아니라 박 대통령을 향해서, 그것도 전화회담 자리에서 이야기했다고 한다. 과연 이것을 제대로 된 사죄라고 할 수 있을까.

1980년대 이후 세계화 차원에서 나타난 '사죄의 시대'에, 과거에서 현재로 이어지는 중대한 부정의에 대해 어떤 형태로 책임지느냐를 두고 중층적인 논의와 실천이 거듭 진행되어왔다. 그런 가운데 진상 규명과 가해 책임의 명확화(소추), 사죄, 손해배상의 지급, 역사교육, 기억의 계승이라는 모든 조치에 진지하게 접근하는 것이 얼마나 중요한지 알게 되었다.

하지만 윤병세·기시다 두 외교장관이 엄숙함을 자랑하며 과시한 '합의'에는 그런 세계 각지의 선구적 실천이나 풍부한 학술적 축적이 털끝만큼도 반영되지 않았다. 공동기자회견에서 두 사람의 손이 겹쳐지는 순간, 새로운 부정의의 싹이 희미하고도 암담하게 머리를 치켜드는 듯한 느낌이 들었다.

아베 총리가 전후 70년 담화에서 유려하게 말한 것처럼 후세에 역사의 부채를 남길까 봐 진심으로 우려하고 있다면, 이런 허무하고도 미봉적인 담합은 어떻게든 파기해야 하지 않을까.

역사와 법의 정의, 그리고 당사자와 제대로 마주하지 않고 어떻게 다음 단계로 나아간단 말인가. 그 당연한 이치에 서서 제대로 대응하도록 정치적 용기를 쏟아부어야 한다.

'1965년'이 되풀이돼서는 안 된다

矢野秀喜
야
노
히
데
키

강제연행·기업책임 추궁재판 전국네트워크
사무국장

2015년 12월 28일, 한일 정부의 일본군 '위안부' 문제 '합의' 소식에 피해 당사자들은 분통을 터뜨렸다.

"합의하기 전에 피해자를 만나야 하지 않는가. 나이가 많아서 모른다고 무시하는 것인가?"(이용수 할머니)

"법적으로 명예 회복을 해달라는 것이 우리의 바람이다. 우리는 타결하지 않겠다."(김복동 할머니)

"한국 외교장관은 피해자를 팔아치운 게 아닌가?"(이옥선 할머니)

할머니들은 피해 당사자를 제쳐놓고 권력자들끼리 멋대로 나눈 '합의'를 인정하지 않았다.

한편 양국 외교장관의 '합의'에 대한 공동기자회견 뒤 전화 통화를 한 아베 신조 총리와 박근혜 대통령은 "합의를 (긍정적으로) 평가하고 싶다"(아베), "최종합의가 이루어져서 다행이다"(박근혜)라고 대놓고 자화자찬을 했다.

두 나라의 합의를 중개한 라이스 미국 국가안보보좌관(안보보장 담당)과 켈리 국무장관도 약속이라도 한 듯 '합의'를 '환영'하는 성명을 내놓았다. 미국은 이번 '합의'가 "가장 중요한 두 동맹국의 관계 개선에 이바지"하고, "지역 및 국제적 문제에서 양국의 협력관계를 깊게 함과 동시에 안전보장에서 3국 간의 연계를 기대"할 수 있게 되었음을 '환영'했다.

박근혜·아베의 두 수뇌는 양국이 '미래지향'의 관계로 들어가 '안보협력을 강화'해나갈 것을 서로 확인했다. '위안부' 문제를 '최종적 및 불가역적으로 해결'하기로 한 한미일 3개국 정부의 진의는 여기에 있다고 할 수 있다.

식민지 지배와 침략전쟁의 피해자들이 이의를 제기하고 반대함에도 안보를 우선하면서 껄끄러운 사실에 뚜껑을 덮고 문제를 '해결'한 것처럼 하는 수법은 이번이 처음은 아니다. 1965년 한일국교 정상화를 앞둔 시점의 한일기본조약과 청구권협정도 마찬가지였다.

한일 양국은 미국의 압력과 후원 아래 식민지 지배의 불법·합법 주장을 뒤로 미루었다. 또한 식민지 지배 아래에서 민중이

입은 여러 가지 손해와 피해에도 뚜껑을 덮고, 안보(베트남 전쟁)와 경제(한국의 경제발전)를 우선시해서 기본조약과 청구권협정을 맺었다. 이것으로 재산·청구권 문제는 '완전히 최종적으로 해결'되었다고 서로 확인했다.

그러나 뚜껑을 덮어 '해결'한 척해도 그것은 결국 미해결 상태이며, 단지 문제를 뒤로 미룬 것에 불과하다. 1990년대 이후 일어난 '위안부' 피해자들의 움직임이 그것을 증명한다.

아베는 2015년 12월 28일 "청구권 문제는 1965년 협정으로 최종적 및 완전하게 해결되었다는 입장에 변함이 없다"고 말했다. 하지만 그것이 사실이라면 애초 12·28 '합의' 같은 건 필요치 않고, 새삼스레 '최종적 및 불가역적으로 해결'되었다고 강조할 필요도 없다.

1965년 체제는 '의제'(擬制, 본질은 같지 않지만 법률에서 다룰 때는 동일한 것으로 처리해 동일한 효과를 주는 일)였는데, 12·28 '합의' 역시 똑같은 운명에 처할 것이다. 당사자 없는 '합의'가 '최종적 및 불가역적 해결'이 될 리 만무하기 때문이다.

애초 '위안부' 문제를 세상에 알려 일본 정부에 사죄·배상을 요구하며 소송을 제기하고, 인권을 다루는 유엔의 모든 기관에 이 문제를 상기시켜 전시(戰時) 여성에 대한 성폭력 문제, 성노예제라고 인정하게 만들었으며, 일본 정부에 대해 해결권고를 끌어낸 사람은 바로 피해자들이었다. 그들은 자국 정부의 지원을 거의 받지 않은 채 그러한 운동을 추진해왔다.

한국 정부는 외교보호권을 행사할 의무는 있어도, 피해자의 양해 없이 '최종해결'에 합의할 권리는 없다. 또한 피해자가 인정하지 않는 '합의'를, 가해자 측이 더이상 돌이킬 수 없는 '불가역적 해결'이라고 말할 자격은 더욱 없다. 미국이 '국제사회에 지지를 호소'하더라도 피해자와 오늘날의 국제 인권규범이 그것을 인정하지 않을 것이다.

당사자가 이해하고 받아들이지 않는 이상 어떤 문제든 해결되었다고도, 화해가 이루어졌다고도 할 수 없다. 이 원칙에 준해 운동을 추진하자.

일본 정부는 '군의 관여'를 인정하고 '책임을 통감'한다고 했다. 아베는 '내각 총리대신으로서' 사죄를 표명했다. 피해자들의 투쟁이 그들을 이렇게까지 궁지로 몰아붙인 것은 명백한 사실이다. 피해자가 받아들일 수 있는 해결까지 거리가 얼마나 남았든 지금부터 그 길을 걸어가자. 피해자와 함께 말이다.

'위안부' 문제는
해결되었는가

土井敏邦
도이 도시쿠니

저널리스트

2015년 12월 말 '한일 위안부 합의'라는 너무도 갑작스러운 소식을 듣고, 나는 21년 전인 1994년 12월 한국 '나눔의 집'에서 촬영한 '위안부' 할머니들의 대화를 떠올렸다. 일본 '아시아여성기금'이 내기로 한 보상금에 대한 이야기였다.

이용녀·이용수 "왜 빨리 해결해주지 않지? 일본은 부자인데. 잘못을 저질렀으면 빨리 배상해줘야 하잖아!"

강덕경 "돈을 주기 싫은 게 아니야. 과거의 일을 역사에 안 남기려는 거지. (명예를 더럽히지 않고) 깨끗한 국민으로 있고 싶은 거야."

김순덕 "자기 나라에 상처를 남기지 않으려고 온갖 힘을 짜내고 있어."

강덕경 "(돈을 받으면) 사죄하라, 진상을 규명하라고 하기가 어렵잖
아. 우리가 돈을 받아서 끝난다면 벌써 해결되었을 거야."

김순덕 "우리는 얼마 안 되는 돈을 받고 물러서고 싶지 않아. 어떻게
든 나름대로 증거를 남기고 싶어. 양쪽이 똑같아. 양쪽 다 명예를
걸고 겨루는 거나 마찬가지야."

　　　—다큐영화 〈기억과 함께 산다〉 중에서

　피해 할머니들은 21년 전에도 '위안부' 문제에 대해 "돈을 내
기 싫다는 게 아니라 과거의 일을 역사에 남기고 싶지 않고, (명
예를 더럽히지 않고) 깨끗한 국민으로 남고 싶다"는 일본 정부의
본심을 예리하게 간파했다.

　강덕경 할머니가 "돈을 주기 싫은 게 아니야"라고 지적한 것
처럼, 이번 '합의'에서도 일본 정부는 흔쾌히 10억 엔을 출연하
기로 했다. 그 대신 "과거의 일을 역사에 안 남기려고" "(명예를
더럽히지 않고) 깨끗한 국민으로 있기 위해"(강덕경), 또 "자기 나
라에 상처를 남기지 않으려고"(김순덕) "문제를 최종적이고 불
가역적으로 해결"하려 했다.

　즉, 한국 측이 "두 번 다시 문제 삼지 않고, 국제사회에서 서
로 비난·비판을 삼가도록" 약속하게 하면서 주한 일본대사관
앞의 소녀상을 철거하도록 요구한 것이다. 또한 아베 총리는

'합의' 직후의 기자회견에서 "우리의 아들이나 손자에게 계속 사죄할 숙명을 지워서는 안 된다. 그 결의를 실행으로 옮기기 위한 합의다"라고 밝혔다. 할머니들이 지적한 일본 정부의 '위안부' 문제에 대한 자세는, 21년 후의 새로운 '합의'에서도 거의 변하지 않은 것이다.

나는 이번 '합의'에 대해 "이것으로 위안부 문제를 끝내고, 일본인의 기억과 역사에서 없애려고 하는 것 아닌가?"라는 의혹을 품고 있다.

21년 전의 인터뷰에서 '위안부' 김순덕 할머니는 "일본 측에 바라는 것이 무엇인가?"라는 내 질문에 이렇게 대답했다.

"우리도 인간의 존엄을 되찾고 싶어요! 이미 죽은 할머니들에게도 제대로 기념비를 세워주고, 교과서에도 제대로 쓰고, 일본 정부가 자기 잘못을 제대로 사죄했으면 좋겠어요."

이처럼 김순덕 할머니를 비롯한 피해자들이 일본 정부의 정식 사죄와 배상금만을 강력하게 요구하는 게 아니다. 우리 일본인의 기억과 역사에 스스로가 '가해자'였다는 사실을 단단히 새기고 다음 세대에게도 전해주기를 바라는 것이다.

이 일은 반드시 이루어져야 한다. 피해자들의 요구여서가 아니라 일본 자신을 위해서도 그러하다.

1985년 5월 독일 패전 40주년 연설에서 바이츠제커 당시 독일 대통령은 자국의 가해역사와 마주해야 하는 이유를 이렇게 말했다.

"시간이 지났다고 과거를 바꾸거나 일어나지 않았던 일로 만들 수는 없습니다. 과거에 눈을 감은 자는 결국 현재에도 눈을 감게 됩니다. 비인간적인 행위를 마음에 새기려고 하지 않는 자는 또다시 그런 위험에 빠지기 쉽습니다."

일본인들 또한 '과거에 눈을 감고 현재에도 눈을 감아 또다시 그런 위험에 빠지지 않기 위해서'는 '위안부' 문제로 상징되는 '비인간적 행위'와 '부채의 역사'를 마음에 새겨야 하지 않을까. "우리의 아들이나 손자에게 계속 사죄할 숙명을 지워서는 안 된다"(아베 총리)는 이유로 자국의 '가해역사'를 역사에 남기지 않으려는 행동은 결코 용서받을 수 없는 일이다.

일본 활동가들이 말하는 한일 '위안부' 합의의 민낯

일본 국회 앞에 '소녀상'을!

木瀬慶子
기세게이코

헌법9조—세계로 미래로 연락회
사무국

"왜 우리에게 한마디 말도 없이 정부가 정했는가!"

이용수 할머니가 분통을 터트리며 한국 외교통상부 차관에게 항의하는 영상을 보았다.

"두 번 다시 되풀이돼서는 안 되기 때문에, 기억해야 하기 때문에 평화로에 소녀상을 세웠는데. 정부는 철거할 수 없어요."

김복동 할머니의 의연한 말이 페이스북에서 흘러나왔다. 그야말로 이 모든 것이 피해자를 무시하는 처사가 아닐 수 없다.

2015년 말, 나는 할머니들의 분노와 낙담 어린 표정이 머리에서 떠나지 않았다. 2016년이 밝아도 긴장된 나날은 계속되었다.

피해국 대통령에게 전화로 사죄를 전하다니, 이것은 아무리 생각해도 가해국으로서 할 일이 아니다. 상식에서 벗어난 일이다. 더구나 한국 스스로 소녀상을 철거하는 것처럼 보이게 하면서 철거하라고 요구하는 것은 참으로 교활한 방법이 아닌가.

아무리 '정치적 타결'이라고 해도 이렇게까지 하다니, 아베 정권에 대한 분노가 증폭했다. '위안부'라는 인권문제에 성실하게 대응하지 않은 것을 한눈에 알 수 있고, '최종적 및 불가역적 해결'이라는 말 또한 너무도 무서운 말이다.

다음 세대에게 사죄할 숙명을 물려주지 않으려고, 사죄에 종지부를 찍기 위해 한 말 아닌가. 역사수정주의자인 아베 총리가 아니면 할 수 없는 교활함의 극치 아닌가. 유네스코 세계문화유산에 '남경 대학살'이나 '위안부' 문제를 올릴 경우 돈을 내지 않겠다는 일본의 태도는 돈으로 역사를 바꾸려는 노골적인 행동 아닌가.

윤리나 성실함과는 거리가 먼 아베 정권에 강한 분노를 느끼지 않을 수 없다. 다시는 이런 일이 되풀이되지 않도록 일본 국회 앞에 소녀상이 있어야 하지 않나 하는 생각마저 든다.

할머니들의 분노에는 이미 세상을 떠난 많은 피해자 할머니들의 마음이 담겨 있다. 1990년대 초반부터 계속 싸워오며 피해자에서 '평화인권활동가'가 된 할머니들은 단지 자신들의 피해 회복을 위해 싸우는 것이 아니다. 투쟁에 나섬으로써 현대를 살아가는 여성의 인권을 확립하고, 두 번 다시 전쟁이 없는 평화로운 사회를 만들고 싶다는 강한 마음으로 일본대사관 앞을 지키고 있다.

2016년 1월 13일 1,213차 수요집회에 할머니 여섯 분이 참가했다고 한다. 살을 에는 엄동의 서울 하늘 아래에서 수요집회에 참가하는 90세 할머니들의 심정을 생각하면, 어떻게든 '위안부' 문제의 진정한 해결을 위해 더욱 노력해야겠다고 다짐하게 된다.

국경을 초월한 쓰레기 담합

신 숙 옥

辛淑玉

헤이트 스피치와 인종차별을 극복하기 위한
국제네트워크(노리코에네트) 공동대표

어린 소녀를 속이고 협박하고 강간하고 감금하고 노예처럼 대하고, 끊임없이 폭력을 행사한 남자가 있다.

세월이 흐른 후 피해자가 간신히 그 사실을 밝히자 "나는 그런 적 없어. 이 거짓말쟁이 할망구!"라고 가래를 뱉었다. 확실한 증거가 나와도 사방팔방에 자기는 그런 적이 없다고 소리친다. 그것도 통하지 않자 "에이, 시끄러워! 사과하면 되잖아! 그래, 미안해"라고 동전을 내던지더니, "사과했으니까 이제 용서해. 용서하지 않는 건 네 문제야"라고 실실거리며 웃는다.

그러자 포주가 "네네, 무사님. 이제 이 이야기는 없었던 걸로 할게요"라고 고개를 숙이며 동전을 줍는다.

요즘 돌아가는 상황을 보고 있노라면 이런 느낌이 드는 걸 어쩔 수 없다. 마음이 썩은 국가는 국경을 넘어 사람들을 지옥으로 떨어뜨린다.

이런 식으로 피해자를 휘두르는 모습은 북한에 납치된 일본인에 대한 일본 정부의 대응방식과 똑같다. 외교적으로 실컷 이용해놓고, 이제 귀찮아지니 적당히 처리하려는 것이다.

분명히 '위안부'도 없었던 것으로 하고 싶으리라. 이런 하찮은 합의문서를 내놓아봤자 정치가는 물론이고 수많은 일본인마저 거짓이라고 여기지 않을까? 고노 담화가 나온 후에도 '위안부'가 없었다고 거짓말하는 사람에 대해, 이 나라의 정치나 행정기관에서 적극적으로 비판한 적은 한 번도 없다. 그들은 역사를 계속 모독하고 있다.

일본은 메이지 시대(明治時代, 1868~1912)부터 이어지고 있는 조선인에 대한 멸시를 후회하고 싶지 않다는 일념으로, 환상의 '아름다운 일본'에 매달리고 있다.

2015년 나치 시대의 독일 여성수용소를 방문했을 때, 나는 그 수용소에 감금되었던 독일 여성에게 이런 말을 들었다.

"자신이 예전에 '성노예'였다고 나서는 한국 여성을 보고, 우리도 용기를 얻었어요."

독일에서도 많은 여성이 다른 수용소 관계자에게 '성노예'로 제공되었던 것이다.

전시 성폭력이라는 여성에 대한 폭력을 세계는 어떻게 바라보아야 하는가. 살인을 정당화해서 돈을 벌려는 자들에게 나는 묻고 싶다. 이 일은 결코 1965년 한일회담이나 이번의 한일합의로 끝나지 않는다. 지금부터 시작해야 하는 일이다.

한일 정부 모두 '업자' 탓으로 돌림으로써 일본에서 '위안부'가 없었다는 인식이 형성된 지금, 그들은 앞으로 활개를 치며 피해자를 짓밟으리라. 그리고 아무 소리도 내지 않는 자에게는 동전 한 닢 주지 않을 것이다. 소심하고 쩨쩨한 남자들은 '소녀상' 철거가 조건이라는 말도 함께 덧붙였다. 눈에 거추장스러우니 치우라는 것이다.

할머니들에게 못된 짓을 한 군인도, 성병 검사를 했던 의사도, 업자도, 식민지의 행정관도, 일본 제국의 관료도, 군도, 내각도, 그리고 일왕도, 인류의 역사가 이어지는 동안 계속 심판받아야 한다. 그것이 어둠의 역사를 뛰어넘는 인류의 예지이다.

눈에 거추장스러운 것은 소녀상이 아니다. 그것을 방해하는 당신들이다.

사실을 인정하지 않는 사죄로는 해결되지 않는다

고바야시 히사토모

小林久公

강제동원 진상규명네트워크
사무국 차장

아베 정권은 예상했던 대로 추태를 보였다. 2015년 말 한일 외교장관의 '합의'가 바로 그것이다. 일본 시민운동가들이 아베 총리에게 일본 정부의 가해사실을 인정하는 것이야말로 문제 해결의 전제임을 수차례 강조했지만, 그는 그 말에 전혀 귀기울이지 않았다.

2014년 6월 아시아연대회의의 '제언'과 함께 일본 정부에 제출한 '고노 담화 이후 발견한 위안부 관계 문서 529점'에 대해 내각관방은 지금도 계속 무시하고 있다.

그 가운데 나가이 가즈(永井和) 교수가 발견해 발표한 '야전주보(野戰酒保, 군대 영내 매점) 규정 개정에 관한 건'이란 문서가 있다. 이것이야말로 "일본 정부와 군이 군의 시설로 '위안소'를 입안·설치·관리·통제"했음을 알려주는 핵심적인 문서지만, 정부는 아직 그것을 '위안부' 관계 문서로 인정하지 않았다. 군이 '위안소' 설치를 인정하기 위해 육군성이 법령을 개정했음을 보여주는데, 이 문서에 따르면 '군의 관여'라는 모호한 표현이 아니라 일본 정부의 직접적인 가해책임을 인정할 수밖에 없다.

이 문서를 '위안부' 관계 자료로 인정하고 수집하느냐의 여부가 일본 정부의 '위안부' 문제 해결에 대한 열쇠라고 할 수 있다. 해결할 마음이 있으면 수집할 것이고, 해결할 마음이 없으면 수집하지 않을 것이다. 그리고 이번 '합의'는 정부가 그 자료를 수집하지 않은 채 진행된 것이다.

앞으로 '위안부' 문제 해결의 실마리는 일본 정부가 이 자료를 수집하고 확실한 사실을 인정한 뒤 책임 있는 사죄를 하는 것이라고 생각한다. 그 자료는 다음과 같다.

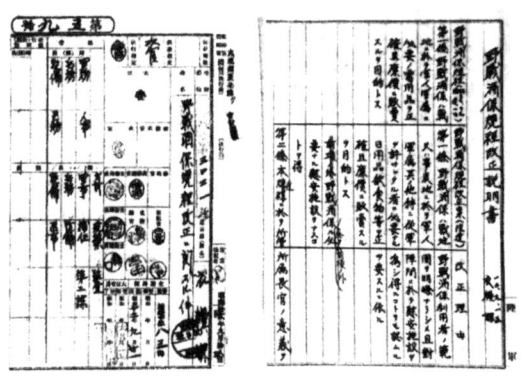

일본 활동가들이 말하는 **한일 '위안부' 합의의 민낯**

피해자들, 또다시 존엄을 빼앗기다

쓰노다 유키코

角田由紀子

변호사

이번 '합의' 소식은 일본 정부가 또다시 피해자를 짓밟았다고밖에 여겨지지 않는다. 피해 실태에 걸맞지 않은 10억 엔이라는 적은 돈을 내놓으면서 소녀상 철거를 요구하는 방식에 분노를 느끼지 않을 수 없었다.

소녀상은 단순한 물건이 아니라 피해자의 존엄을 나타내는 상징이다. 이 사실은 털끝만큼도 생각지 않고, 돈을 줄 테니 일본대사관 앞의 거슬리는 것을 "치워!"라고 소리치는 것이 일본 정부다. 당사자인 할머니들이 격하게 분노하는 것은 당연한 일이다. 모욕하고 또다시 모욕했기 때문이다.

나눔의 집에 사는 한 할머니는 2016년 1월 26일, 도쿄 기자

회견에서 "소녀상 철거는 우리를 죽이는 것과 똑같다"고 말했다.(도쿄신문, 2016년 1월 27일)

일본 정부는 이번 '합의'에서 일본의 '책임'을 인정했다. 그러나 무엇에 대한 책임인지는 명확하지 않다. '사죄와 반성'도 그런 식으로 말했다. '책임'과 '사죄', '반성'이 피해자들에게 의미 있으려면 먼저 무엇에 대해 사죄하고 반성하는지 사실에 따라 구체적으로 말해야 한다. 그러나 현실은 사실 인식의 증거가 없는 말만 늘어놓았을 뿐이다.

아베 총리는 바로 얼마 전까지 '위안부'에 관해 부정적 견해를 밝혀왔다. 그런데 그런 태도가 잘못되었다는 말 한마디 없이 왜 갑자기 '책임'을 인정하면서 '사죄와 반성'을 말하는가. 만약 사죄와 반성이 진심이라면 생각을 바꾸게 된 중대한 이유를 설명해야 한다. 그렇지 않으면 이번 '합의'는 단순한 정치적 쇼일 뿐이다. 피해자의 상황을 충분히 이해해서 사죄한다는 말을 아무도 믿지 않을 것이다.

이번 '합의'가 진정한 해결을 향한 첫걸음이라는 의견도 있다. 그러나 이런 식의 '합의'를 믿을 수 있을까. 피해 당사자를 내버려두고 미국의 의향을 고려해 허둥지둥 처리한 '합의'는 피해자의 존엄을 더욱 짓밟는 행위임을 알아야 한다.

나는 한 여성으로서 피해 할머니들이 10대에 받은, 필설로 표현하기 힘든 인권침해 사건이 나에게 일어났다면 어떠했을

지 상상해보았다. 생각만으로도 무섭고 온몸이 떨렸다. 그런데 그 일의 마무리가 이번 '합의'처럼 처리되었다고 생각하자 할머니들의 분노가 충분히 이해되었다.

일본 여성으로서 우리는 앞으로 무엇을 해야 할까. 헌법에 위반되는 법률을 근거로 삼아 전쟁으로 향하려는 국가에 사는 우리는, 평화를 되찾기 위해서라도 '위안부' 문제를 올바르게 해결하려 노력해야 할 것이다.

만애화·배봉기 할머니를
위한 레퀴엠

최

선

애

崔善愛

피아니스트

1992년 12월 9일, 도쿄 간다 팡세에 모인 800명의 청중을 앞에 두고, 중국에서 온 만애화 할머니는 증언하는 도중 일어서더니 일본군에게 입은 몸의 상처를 보여주면서 "일본인이 증오스러워요…"라는 말을 남긴 채 정신을 잃고 쓰러졌다.

―〈세계가 묻는 일본의 전후 처리 ① '종군위안부' 등 국제공청회 기록〉
　　후기에서

정신을 잃을 만큼 일본인을 증오하며 살아온
여성의 전후戰後의 삶을,
치유되지 않은 그 깊은 상처를,

'불가역'이란 말로 없었던 것으로 하는 사람들이여.

애화(愛花)라는 아름다운 이름을 잊지 말지어다.

배봉기 할머니는 오키나와 도카시키 섬(渡嘉敷島) 사탕수수밭에 있는 작은 오두막에서 혼자 살았다. 주기적으로 엄습하는 격렬한 고통을 죽을힘을 다해 견뎌냈지만, 괴로워하는 그녀의 모습에 아이들은 "후라, 후라"(미치광이란 뜻의 오키나와 방언)라고 놀리며 돌과 빈 깡통을 던졌다. 유리창이 깨질까 봐 낮에도 덧문을 닫고 사람을 피하며 살았다고 한다.

배봉기 할머니는 1944년 가을, 부산과 시모노세키를 거쳐 가고시마에서 일본군과 같이 도카시키 섬으로 끌려갔다. 일본이 패망한 뒤에는 그곳에 버려진 채 황국 신민에서 불법체류 외국인이 되었다. 그 후 오키나와에 사는 신시로 규이치新城久一 씨가 배봉기 할머니의 신원 보증인이 되면서 1975년 특별재류자(特別在留者)가 되었다. 그리고 1991년 10월 18일, 77세의 나이로 고독한 생애를 마쳤다.

"속아서 끌려온 뒤, 낯선 곳에서 버림을 받았지요."

배봉기 할머니는 생전에 늘 입버릇처럼 말했다.

"예전에 일본군 병사에게 들은 이야기인데, 라바울에서 패퇴할 때 위안부를 잠수함에 태워 연합군 기뢰가 무수히 떠 있는 바다로 내보냈다고

하더군요. 기뢰를 내보내기 직전에 기관사 등 일본군 승무원은 모두 잠
수함에서 내렸다고 해요."

—야마다 후미코(山田文子), 〈유지(遺志)를 이어받다—종군위안부 배봉기
할머니의 삶과 죽음〉(『세계』, 1992년 2월호에서 발췌).

일본 정부여.

그들의 손을 잡아본 적이 있는가.

할머니들을 엄습하는 격렬한 고통,

그 신음과 외침의 눈물을 본 적이 있는가.

'위안부' 할머니를 만나지도 않고, 대체 누구에게 '사죄'하는가.

여성을 인간으로서 존중하지 않는 사람들이여.

움직이지도 못하는 소녀상을 왜 그토록 두려워하는가.

'사죄'라는 이름 아래 추구하는 죄의 '철거'를,

소녀들의 영혼은 절대로 용서치 않으리라.

앞으로 일본 시민은
어떻게 해야 하는가

오
모
리

노
리
코

大森典子

변호사

한일합의에 대해 기시다 외상은 "문장 그대로이고, 그 이상도 그 이하도 아니다"라고 말했다. 일본에서도 고노 담화에 비해 역사연구나 역사교육에 대한 언급이 오히려 없다는 점을 비판한다. 그런데 이 합의가 애초 고노 담화를 다시 쓴 것일까?

이번 합의는 고노 담화의 1절을 약간 바꿔 따라 했지만, 고노 담화를 고쳤다는 말은 어디에도 나오지 않는다. 즉, 역대 내각이 승계해온 고노 담화에 대해, 아베 총리가 사죄와 반성 부분을 꺼내 새삼스레 '일본의 내각 총리대신으로서' 사죄와 반성을 표명했을 뿐이다.

그렇다면 이번 합의에서 언급하지 않은 부분은 구태여 다시 표명하지 않더라도, 일본의 국제공약이라 할 수 있는 고노 담화 안에서 지금도 살아있다고 볼 수 있다. 즉, 일본 정부로서는 당연히 해야 할 과제인 것이다. 또한 과거 역사에 대해 진지하게 사죄하려면 두 번 다시 되풀이하지 않기 위한 후속조치가 반드시 따라야 한다.

이번 합의는 이처럼 새삼스레 고노 담화를 무대의 전면에 떠오르게 했다. 따라서 우리는 고노 담화를 근거로 일본 정부가 실천해야 할 과제를 명시해야 한다.

이번 합의에 대해 피해자와 피해국 사람들은 백지철회를 요구하고 있다. 피해자를 무시한 이번 합의의 절차와 내용을 생각하면 그러한 항의와 요구가 당연하다고 생각한다.

하지만 이 문제를 진정으로 해결하기 위해서는, 고노 담화를 비롯해 매우 불충분하기는 하지만 지금까지 일본 정부가 인정해온 것을 발판으로 무엇이 필요한지 시민들에게 널리 알려야 한다. 그리고 힘을 모아 정부에 압력을 행사하는 운동을 전개해야 한다.

이 일은 피해국 사람들이 이번 합의의 '백지철회 운동'을 하는 것과 모순되지 않는다. 추구하는 방향은 달라도 지향하는 바는 하나로, 어느 길을 가는 것이 더 확실하게 최종목표에 도달할 수 있느냐 하는 문제이다.

이번 합의를 통해 일본 정부가 정말로 최종적 해결을 원한다면 총리의 사죄와 반성은 다음과 같아야 한다.

"저희는 모두 알고 있습니다. …노예노동, 강제노동은 단지 정당한 임금을 주지 않은 것만이 아닙니다. 그것은 박해이자 권리의 박탈이고 끔찍한 인간 경시였습니다. 의도적으로 죽을 때까지 일을 시키는 일도 있었습니다. …저희는 알고 있습니다. 많은 분에게 금전은 보상이 되지 않는다는 사실을. 그분들은 고통이 고통으로 인정되고, 자신이 당한 불의에 불의라는 이름이 붙기를 바라고 있습니다. 저는 오늘날 독일의 지배 아래 노예노동과 강제노동을 해야 했던 모든 분에게, 독일 국민의 이름으로 용서를 구합니다. 저희는 결코 여러분의 고통을 잊지 않겠습니다."
—기억·책임·미래기금 발족 당시 독일 요하네스 라우 대통령의 연설

역사를 마주보며 피해자에게 '사죄'한다는 것은 이처럼 가해와 피해사실을 제대로 인정하고, 피해자의 마음에 전해지도록 사죄하는 것, 그리고 사죄의 마음을 앞으로도 잊지 않겠다고 약속하는 것이어야 한다. 이런 사죄가 아니면 '사죄'라고 할 수 없지 않을까. 일본 시민은 책임감을 갖고 이 부분을 정부에 요구해야 한다.

분쟁 해결의 조건과 '공감'의 결여

奥本京子
오쿠모토 교코

오사카여학원대학 교수

　분쟁 해결(분쟁 전환)이란 무엇인가. 초월법(Transcend Method)에 따르면 그것은 평화적 수단 — 공감·비폭력·창조성 — 으로 이루어지는 일련의 평화구축 프로세스다.[1] 지금 한창 보도되고 정치적으로 이용되는 '위안부 문제'는 유감스럽게도 공감·비폭력·창조성 중 어느 것을 매개로 하더라도 해결되지 않는다.

　분쟁 해결, 그중에서도 특히 화해는 당사자의 프로세스여야 한다. 고통을 직접 경험한 사람이(때로는 간접경험이라도) 당사자로서 반드시 화해 프로세스의 첫 번째 참가자여야 한다. 이번 합의처럼 당사자에 대한 배려가 전혀 없는 정치·외교 차원의 임기응변으로는 진정한 의미의 분쟁 해결이 불가능하다. 문제의 핵심인 '고통'에 대해 언급하지 않았기 때문이다.

당사자를 무시한 해결은 이름뿐인 '해결'이다. 그것을 정치적으로 이용해온 사람들의 이익을 우선한 폭력적 수단에 불과하다. 일본군 성노예제를 강요한 가해자였던 일본과 이어져 있는 우리 일본인은 그 폭력성을 의식하지 않을 수 없다.

그렇다면 공감(Empathy)이란 무엇인가. 그것은 동정(Sympathy)과 달리 감정이입을 하지 않아도 성립한다.

작가인 히라타 오리자에 따르면, 동정에는 상대의 마음을 배려하고, 그리하여 자신의 마음도 배려받을 수 있다는 전제가 성립한다. 한편 공감이란 자타의 구별을 전제로 의식적·능동적으로 타인의 관점에 서서 타인의 처지가 된 자신을 상상하는 데서 오는 동감(同感) 혹은 상대에 대한 이해이다. 타인과 자신을 명료하게 구별하되, 타인은 자신의 이해범위를 뛰어넘는다고 생각한다. 동정은 타인과 자신의 구별을 중시하지 않는다는 점이 있지만, 공감과 동정 사이에 커다란 차이는 없다고 본다.[2]

타인의 고통에 다가서는 것은 매우 어려운 일이다. '위안부'가 된 성노예 할머니들의 경험과 감정을, 마치 체험한 것처럼 똑같이 느끼기란 불가능하다.

그렇다면 당사자의 괴로움에 대해 무감각해도 좋을까. 그렇지 않다. 진심으로 분쟁이 해결되기를 바란다면 공감을 매개로 얼마든지 가능하다. 어렵다는 것을 알면서도 애써 고통을 깊이 이해하고, 역사적 사실에 대해, 또 당사자들의 말 하나하나에 대해 성의를 갖고 능동적으로 경청해야 한다.

사랑을 보여달란 말까지는 하지 않더라도, 그들을 조금이라도 깊이 이해하려고 노력하는 것은 얼마든지 가능하다. 그것이 정치가이든, 보도를 담당하는 사람이든, 우리 일반시민이든 말이다.

주
_____

1) 요한 갈퉁, 요한 갈퉁·후지타 아키후미(藤田明史) 공편, 『갈퉁 평화학 입문』 (법률문화사, 2003) ; 요한 갈퉁, 후지타 아키후미·오쿠모토 교코 감역, 트랜센드 연구회 역, 『갈퉁 분쟁해결학 입문─컨플릭트 워크(Conflict Work)로의 초대』(법률문화사, 2014) 등.
2) 히라타 오리자·기타가와 다쓰오, 『일본에는 대화가 없다─배움과 커뮤니케이션의 재생』(산세이도三省堂, 2008), 133~144쪽.

페미니즘으로 식민지주의와 성차별을 뛰어넘자

菊地夏野
기쿠치 나쓰노

나고야시립대학 준교수

이번 한일합의에 기시감이 느껴진다. 몇 가지 점에서 차이가 있지만, 본질에서는 아시아여성기금과 큰 차이가 없는 듯하다. 군과 정부의 책임을 명확히 밝히지 않은 채, 많은 돈을 주고 끝내려는 것이다. 피해자가 원하는 치밀한 조사와 그에 따른 진지한 사죄, 후세에 똑같은 일이 되풀이되지 않도록 하기 위한 교육, 사회적 대처 중 어느 것 하나 제대로 실현되지 않았다.

미디어나 일부 야당에서 호의적으로 말하는 경우도 있지만, 이 합의로 일본 내에서 오해가 더 확산되지 않을까 우려스럽다. '위안부' 문제에 대한 정확한 지식이 없는 상태에서, 피해 할머니에 대한 편견이 더 커지는 것은 아닐까. 아시아여성기금 설립 때와 가장 큰 차이는 오해의 확산이 아닐까 생각한다. 지난 20년 동안 인터넷이나 일부 정치가·매스컴에 의한 피해자 때리기는 더욱 확대되었다.

나는 수업시간에 지속적으로 '위안부' 문제를 이야기한다. 그런데 학생들 사이에 만연해 있는 '위안부' 때리기에 차라리 눈을 감고 싶을 때가 한두 번이 아니다.

"위안부는 매춘부니까 굳이 사죄할 필요가 없다"고 당당하게 의견을 피력하는 학생들이 존재한다. 문제는 그들이 논폴리(Nonpolitical의 준말. 정치에 무관심한 사람)가 아니라 정치에 관심 있는 경우가 많다는 점이다. 사회 전체가 '정치보다 돈'이 중요하다는 식으로 '탈정치화'하는 가운데, 주변 사람들과 토론할 기회도 없이 인터넷에서 얻은 정보로 독선적인 사상을 가지게 된 젊은이가 많다. 그런 젊은이들이 아베 정권의 지지기반이기도 하다.

자국의 이해관계밖에 생각하지 않는 편협한 사고에 갇힌 젊은이들. 그들의 삶은 얼마나 숨이 막힐까. 또한 그런 사람들로 이루어진 사회가 앞으로 어디로 나아갈지를 생각하면 우울하기 짝이 없다.

위와 같이 제법 도전적으로 말하는 이들 중에는 남학생이 많다. 대놓고 말하지는 않지만, 여학생 가운데도 '위안부' 때리기에 동조하는 경우가 종종 있다. 그 와중에 "물론 가짜도 있겠지만 개중에는 진짜 피해자도 있었다"는 말로 일본의 책임을 호소한 여학생이 있었다. 이런 젊은이에게 지금 사회가 얼마나 일그러져 있는지를 알리고, 근대사회의 이념이었던 자유와 평등의 가치를 조금이라도 전해야 할 것이다.

하지만 나는 아직 절망하지 않는다. 이 세계는 상상 이상으로 식민지주의와 성차별이 뿌리 깊게 박혀 있다. 1980~1990년대의 화려했던 페미니즘은 자취를 감추었고, 여성 또는 소수자(Minority) 전체의 입장에서 사회에 목소리를 내기보다 자기 혼자 먹고 살기도 벅차다는 것이 많은 사람의 어쩔 수 없는 현실일 것이다.

언뜻 보면 여성에게도 기회가 열린 것처럼 보이지만, 여성 간 격차가 확대되면서 오히려 성차별에 대한 저항이 일어나기 어려운 구조가 되었다. '위안부' 문제가 모호한 형태로 막을 내린다는 것은 여성에 대한 성폭력 가해가 모호해진다는 의미와 같은데도 말이다.

글로벌화는 우리 사회를 이처럼 조각조각 갈라놓았다. 이번 합의로 한일 양국이 화해하기는커녕 미국의 지원을 받은 동아시아의 식민지주의는 한층 더 강해질 것이다. 정부와 시민의 균열은 확대되고 소수자는 주변화한다.

희망이 있다면, 이런 사태의 본질을 파악하고 진정한 의미에서 연대—가야트리 스피박(Gayatri Chakravorty Spivak, 컬럼비아대 교수)의 '행성적 사고'—를 구축해나가는 것이다. 근대가 시작된 이후 일본을 포함한 동아시아는 가혹한 식민지주의의 폭력을 경험하고 있다. 국가의 울타리 안에 갇힌 사고는 식민지주의를 강화한다. 그곳에서 탈출해 진정한 의미의 '글로벌'한 행성적 삶을 모색할 필요가 있다. 이때 열쇠가 되는 것이 바로 페미니즘일 것이다.

우리의 과제는
무엇인가

安逹由香
안자코 유카

리쓰메이칸대학
교수

2015년 12월 말에 나온 한일 외교장관의 공동기자회견에 대해 한국의 모든 관련 단체가 반대성명을 내고 있다.

일본에서도 그동안 구체적인 해결법을 적극적으로 제언해온 〈일본군 '위안부' 문제해결 전국행동〉에서 "피해자가 없는 한일 '합의'는 해결이 아니다―'제언'의 실현을 촉구한다"고 말했는데, 이 항의성명에 나도 찬성하는 바이다. 이번 '발표'의 가장 핵심적인 문제점은 피해자와 대화하지 않았다는 것이다.

이번 '발표'는 갑자기 내놓은 인상이 강한데, 가장 놀라운 점은 '한일 양국 정부가 협력'하는 재단 설립안을 일본 정부가 내놓았다는 사실이다.

지금까지 한일 간에는 여러 가지 전후(戰後) 보상문제가 존재해왔다. 일본 정부는 "1965년 청구권협정에 따라 완전히 최종적으로 해결되었다"는 입장을 견지하면서도, '인도적 차원'에서 한 걸음 더 나아가 국가예산을 사용한 사례가 몇 차례 있었다. 1990년에는 한국 피폭자를 위해 40억 엔의 의료지원을 결정했고, 2000년에는 3년간 한정조치로써 재일 한국인 군인·군무원의 전몰자와 유족에게 조의금을 지급하는 법률을 제정했다.

그런 와중에 일본에서 정부예산을 들여 문제 해결을 위한 상설조직(재단)을 한일 공동으로 만드는 방안을 내놓은 것은 이번이 처음이다. 일본 정부는 고노 담화로 국가적 책임을 인정했지만, 국가예산으로 피해자를 지원하는 방안은 완강히 거부해왔다. 또한 조선인 강제동원문제 해결을 위한 운동에서 한일 정부와 관련기업이 힘을 합쳐 피해자 지원과 진상 규명을 위한 재단을 만들자는 제안이 나왔는데, 일본 정부로서는 도저히 받아들일 수 없으리라 생각해왔다.

일본 정부의 이번 제안에는 아베 정권의 동아시아 안보전략이 숨어 있다. 그럼에도 불구하고 오랜 시간 지속적으로 호소해온 피해 할머니들과, 한일 양국에서 그 할머니들을 지지해온 지원단체나 후원자들의 끈질긴 운동의 결과물임은 틀림없다.

아베 정권이 의문을 제기하며 필사적으로 부정하려 했던 고노 담화를 이번 '합의'에서 밑바닥에 놓지 않을 수 없었던 것은,

그동안 일본 정부나 매스컴의 격렬한 '위안부' 때리기를 견디며 대항해온 성과라 할 수 있다. 물론 사과와 배상, 진상 규명, 교육을 일본의 국가적 책임으로 함께 시행한다는 최종적인 목표에 비추어 보면 어디까지나 상대적 평가에 불과하다. 하지만 우리는 피해자와 후원자들이 가까스로 뚫은 이 '작은 구멍'을 조금이라도 더 넓혀 문제가 해결되도록 노력해야 한다.

그러나 현실은 대단히 혹독하다고 하지 않을 수 없다. 이번 '한일합의'에 대해 찬반이 크게 엇갈리는 상황이다. 한국에서는 우익이 지지를 표명하고, 한국 전체의 정치 성향과도 연계되어 있다. 한편, 일본 정부는 이번에 다시 꼬여버린 피해자와의 관계를 어떻게 개선할 것인가. 비단 일본 정부에만 맡길 문제는 아닌 것 같다.

또한 한일 정부는 '발표 내용을 어떻게 이행'할 것인가. 지금으로선 실제로 이행할 수 있을지 앞이 보이지 않는다. 피해자가 잇달아 세상을 떠나는 가운데, 작년과는 전제조건이 달라진 현실 앞에서 실제로 성과를 내려면 어떻게 움직여야 할지 진지하게 고민해야 한다. 지금 우리는 그 과제 앞에 서 있다.

피해자 중심의
합의여야 한다

안
세
홍

安世鴻

사진가

2015년 12월 28일, 한일 양국 정부는 일본군 '위안부' 해결에 합의했다. '일본군의 관여', '책임 통감', '10억 엔의 기금' 등이 담긴 해결안에는 그동안 일본군 성노예 피해자들이 간절하게 바라던 '진상 규명'과 '법적 책임', '사죄와 보상'이 빠지고, 전범국인 일본 정부의 법적 책임도 언급되지 않았다.

더구나 주한 일본대사관 앞의 소녀상 이전과 유엔 등 국제사회에서의 문제 제기 불가, 유네스코 세계기록유산에 대한 등재 신청을 하지 않는다는 조건에 합의함으로써 역사를 기술하거나 재발 방지를 위한 교육 등을 통해 진실을 전할 수 없게 되었다. 뿐만 아니라 일본 정부는 2016년 1월 중순 유엔 여성차별철폐위원회에 일본군의 강제성 증거가 없다는 답변서를 제출했다.

조선이 일본의 식민지 지배 하에 있었던 만큼 이미 강제성은 내포되어 있고, 총검이 없더라도 모집업자가 여성들을 교묘하게 꼬여 데려갔다. 동남아시아의 침략국에서는 오지로 갈수록 폭력을 사용해 여성들을 납치하거나 강제로 데려가, 군부대에서 장기간 성폭력을 행사했다. 관여 정도가 아니라, 일본군이 강제적으로 동원하고 이동시켰으며 위안소의 운영 시스템을 관리한 만큼 반드시 책임자를 추궁해야 한다.

내가 만난 피해자 백여 명은 "나를 괴롭힌 일본군이 싫어요. 그때 일을 떠올리면 머리가 아프고 가슴이 찢어지는 것 같아요"라고 말했다. 아직도 당시의 고통에서 빠져나오지 못한 채 살아가는 할머니들이 많다. 피해자의 국가나 피해 사례는 달라도 일본군에게 당한 고통의 크기는 비슷하고, 자신을 괴롭힌 일본 정부에 대한 생각도 똑같다.

할머니들은 "왜죠? 왜 우리나라에 와서 나를 이런 꼴로 만들었죠? 그 이유를 알고 싶어요"라고 분통을 터뜨리며, 일본군이 왜 그런 폭력을 행사했는지 진실을 알고 싶어했다.

동티모르의 라우린다 할머니(1930년생으로 추정. 1942년 12세경에 3년간 성노예 생활을 했다.)는 "일본의 높은 사람이 우리를 만나서 직접 사죄해야 해요"라고 말했다. 또한 인도네시아 피해자인 루리아 할머니(1925년생. 19세에 1년간 성노예 생활을 했다.)는 "일본군 때문에 내 인생은 엉망이 되었어요. 일본 정부가 피해를 보상하고, 위안부에 대해 책임을 졌으면 좋겠어요."라고 말했다.

이렇게 한국 외의 피해자들도 일본에 대해 똑같은 마음을 품고 있지만, 동남아시아 피해자들의 존재와 마음은 좀처럼 일본에 가 닿지 못하고 있다. 일본군 성노예는 한일만의 문제가 아니라 수많은 아시아 국가들과의 전쟁 및 인권의 문제다. 한국 외의 피해국인 중국과 북한, 타이완, 필리핀, 인도네시아, 동티모르, 네덜란드 피해자들이 여전히 고통 속에서 살아가는 지금, 이번 합의안이 그대로 효력을 발휘한다면 다른 피해국과의 협의 때도 나쁜 사례로써 악영향을 미칠 것이다.

이번의 합의안이 나올 때까지 12회에 걸쳐 한일 국장급 협의가 이루어졌지만, 일본 정부는 피해자들의 요구사항에 귀기울이려는 노력을 하지 않았다. 1990년대 중반의 아시아여성기금은 피해자들을 돈으로 농락하고 존엄성에 상처를 입혔다. 이번에 이야기된 10억 엔의 기금 역시 배상이 아닌 기부금 성격이고, 재단 설립은 한국에 맡긴다고 한다. 일본 정부가 더 이상 이 문제를 책임지지 않겠다는 의도라고밖에 생각할 수 없다. 피해자가 바라는 것은 일본 정부의 공식사죄와 책임, 그리고 그것을 전제로 한 배상이다.

피해자들이 과거의 아픔을 드러내면서까지 증언하는 것은 많은 사람에게 진실을 알림과 동시에, 같은 일이 더는 반복되지 않기를 바라는 미래를 향한 메시지라고 할 수 있다. 이번 합의안이 돌이킬 수 없는 불가역이 아니라, 일본이 일으킨 전쟁이야말로 반인류적 범죄이자 불가역적인 범죄라고 할 수 있지 않을까. 전쟁의 법적 책임과 재발 방지를 위해서라도 피해자들의 요구를 반드시 제대로 받아들여 합의해야 한다.

당사자를 배제한 '합의'는
합의가 아니다

무로란공업대학대학원
준교수

2015년 12월 28일 이루어진 일본군 성노예제 문제의 '최종적 및 불가역적 해결'이라는 '한일합의'. 이것을 과연 '합의'라고 부를 수 있을까.

문제를 해결하기 위한 합의란 본래 해당 문제의 당사자 사이에서 이루어져야 한다. 따라서 대리인이나 중개인이 있다고 해도 당사자가 관여하지 않으면 해결을 위한 합의가 이루어졌다고 할 수 없다. 즉, 피해 당사자의 목소리를 무시하고 그들의 의사와 관계없는 곳에서 이루어진 이번 '합의'는 일본군 성노예제 문제의 해결을 위한 '합의'로 받아들일 수 없다. 따라서 당연히 '최종적 및 불가역적 해결'일 수도 없다.

양국 특히 가해 측인 일본이 계속 그렇게 주장한다면, 필설로 표현하기 힘든 명명백백한 피해를 입은 일본군 성노예제 생존자의 목소리를 봉쇄하기 위한, '합의'라는 이름을 빌린 폭력 행사에 불과하다.

생존자의 명예 회복은 압도적 폭력을 행사한 쪽이 그 구조를 진지하게 해명한 뒤 가해자로서의 책임을 전면적으로 인정하고 법적 책임을 받아들여야 겨우 시작된다. 일본 정부가 일본군의 직간접적 '관여'를 인정하면서도 법적 책임을 부정해온 지금까지의 경위를 보면, 아직 출발점에조차 서지 못했다고 할 수 있다. 도의적 책임이 아니라 위법을 저지른 법적 책임을 받아들이지 않고 어떻게 해결하겠다는 것인가.

'최종적 및 불가역적 해결'에 관한 뉴스를 듣는 순간, 내 머릿속에서 한 남성의 목소리가 떠올랐다. 1990년대 초반 아프간 내전 당시, 군벌의 군사공격으로 열네 살짜리 딸을 잃고 자신도 손발을 잃는 중상을 입은 데다 무너진 집까지 군벌에게 빼앗긴 어느 남성의 목소리였다.

"이제 내게 남은 희망은 한 가지밖에 없어요. 죽기 전에 내 눈으로 꼭 보고 싶습니다. 카불의 민중에게 잔악한 범죄를 저지른 자들이 소추되고 처벌받는 것을 말입니다."(Social Association of Afghan Justice Seekers, *Threnody for the Victims: Awaiting the Dawn of Redress and Justice*, 2013, p.17).

가해자의 법적 처벌을 간절하게 바라는 이 남성의 목소리는 2010년 제정된 '사면법'으로 좌절되었다. 이 법은 아프가니스탄에서 자행된 과거의 전쟁범죄를 포함해 인권을 침해한 수많은 형사책임에 면책을 안겨주었다. 그리하여 현재 아프가니스탄의 중추를 지배하는 자들은, 자신을 위해 제정한 법 아래에서 소추를 피하고 있다.

그 순간 왜 그 아프간 남성의 목소리가 떠올랐을까. 그의 딸이 살해당한 것과 똑같은 열넷의 나이에 '위안부'가 된 강덕경 할머니(1997년 별세)는 생전에 〈책임자를 처벌하라〉라는 제목의 그림을 남겼다. 그런데 그 그림에 담긴 온몸의 분노와 아프간 남성의 목소리가 겹쳐지는 듯 느껴졌던 것이다.

일본군 성노예제의 생존자는 일본 정부에 우롱당하고 일부 우익세력 및 정치가의 난타와 온갖 중상모략 속에서도 진상 규명, 사죄와 배상, 가해자 처벌, 교과서 기술 등을 요구해왔다. 이번의 가짜합의(당사자를 빼고 이루어진 만큼 '무효'라고 생각한다.)는 생존자들의 목소리를 앞으로도 무시하겠다고 밝힌 것이나 마찬가지다.

일본 정부의 너무나도 오만하고 강력한 의지는, 애초 소녀상 철거를 말할 처지가 아님에도 천연덕스럽게 요구하는 태도에 여실히 드러난다. 주한 일본대사관 앞의 소녀상이 지닌 헤아릴 수 없는 무게와 아픔을 이해하려는 의지가 털끝만큼도 없는 자

일본 활동가들이 말하는 한일 '위안부' 합의의 민낯

들이다. 그들의 마음속에는 식민지주의자의 사고방식이 지금도 생생히 숨쉬고 있다. 그런 사고방식이 생존자의 목소리를 부정하고, 그 목소리를 봉쇄하려는 방책을 지탱해온 것이다. 이런 상황에 항거하기 위해서라도 소녀상은 계속 주한 일본대사관 앞에 존재해야 할 것이다.

역사의 부정의에
어떻게 마주할 것인가

캐나다의 관점

노
리
마
쓰

사
토
코

乗
松
聡
子

피스필로소피센터 대표

"캐나다는 샌프란시스코 평화조약 서명국 중 하나다. 그러나 이 조약을
체결할 당시, 일본군에 의한 성노예 문제는 표면화되지 않았다. 따라서
이 문제를 인식하지 못한 채 서명한 나라로서 책임이 있다. 캐나다와 관
계가 없다고 할 수 없다."

2015년 여름, 엘렌 우드워스 전 밴쿠버 시의원은 이렇게 말
했다. 그해 캐나다 서해안에 있는 버나비 시(밴쿠버의 이웃도시)
가 한 공원에 '위안부' 여성을 상징하는 소녀상을 설치한다는
계획을 발표했다. 한국의 자매도시에서 기증을 받기로 한 것이
다. 그러자 일본어를 구사하는 주민을 중심으로 격렬한 반대의

목소리가 나왔는데, 그중 "캐나다와는 관계가 없다"는 견해에 대해 엘렌 우드워스 전 시의원이 위와 같이 반박한 것이다.

제1차 아베 정권이 고노 담화의 철회를 꾀하며 '위안부' 역사 자체를 부정하려 하자, 캐나다 하원의회는 2007년 11월 28일 다음과 같은 결의를 통과시켰다.

> "캐나다 정부는 일본 정부에게 1993년 고노 담화에 나타난 반성의 표명을 깎아내리는 어떤 발언도 폐기하고, 일본 제국군을 위한 '위안부'의 성 노예화와 인신매매가 일어나지 않았다는 어떤 주장도 공적으로 명확히 반론하며, 일본 제국군이 강제매춘 제도에 관여한 것에 대해 모든 피해자에게 국회에서 정식으로 성실히 사죄할 것을 포함해, 모든 것에 책임을 지고 화해의 정신으로 피해당한 사람들과 계속 마주할 것을 촉구한다."

이 연방회의의 의결로 봐도 '위안부' 문제가 캐나다와 '관계 없다'고는 할 수 없다. 밴쿠버의 공원에는 히로시마 피폭자인 고(故) 러스키 기누코 씨의 흉상이 있고, '홀로코스트 교육센터'도 있다. 캐나다에서 일어나지 않은 일이라 하더라도 다문화 사회인 캐나다가 기억하고 계승해야 할 역사라는 점에서, 성노예 피해를 상징하는 소녀상이 있는 것은 모순이 아니다. 또한 캐나다에서는 다수의 원주민 여성이 성폭력 등 범죄의 피해자가 되었는데, 트뤼도 정권은 미해결 살인이나 행방불명 사건에 대한 본격적인 진상규명 작업을 이제 막 시작했다. 이처럼 캐나다에서 식민지주의 하의 여성인권 침해가 현재진행형이라는 점에서도, 캐나다인이 일본군 성노예의 역사를 배우는 것은 매우 뜻깊은 일이라 할 수 있겠다.

'위안부' 문제의 '최종적 및 불가역적인 해결'이라는 2015년 12월 28일의 '한일합의'와 캐나다의 과거 '사죄'를 비교하면 깨닫는 점이 많지 않을까. 1988년 9월 22일, 당시 브라이언 멀로니 총리는 전시(戰時) 중 일본계 캐나다인 상제수용에 대해, 피해자 대표들이 지켜보는 가운데 이렇게 말했다.

> "하원의 모든 당파 의원을 대표해 일본계 캐나다인, 그들의 가족, 그들의 문화적 유산에 행해진 과거의 부정의에 대해 정식으로 성실히 사죄합니다. 모든 배경의 캐나다인에 대해, 이 나라에서 두 번 다시는 이런 인권침해가 용인되거나 되풀이되지 않도록 엄숙하게 언급하고 실행할 것을 약속하겠습니다."

캐나다 국민을 대표하는 연방의회의 총의(總意) 하에 총리가 피해자 앞에서 직접 국가책임을 인정하고 사죄하며, 국가보상 및 기억의 계승과 다음 세대에 대한 교육을 약속했다. 이는 '위안부' 피해자가 일본 정부에 요구한 사항과 비슷하지 않은가. 그런데 아베 총리는 피해자에게 직접 사죄하지 않았을 뿐만 아니라 의회도 통하지 않고 공식문서도 존재하지 않는다. 또한 국가책임에 대해 모호하게 말하고, 국가보상을 회피하며, 기억의 계승과 교육사업은커녕 "두 번 다시 문제 삼지 말라"고 요구했다. '기금' 10억 엔도 "일본대사관 앞의 소녀상을 철거하지 않으면 주지 않겠다"고 협박하면서 '성노예' 사실을 계속 부정하고 있다. 일본 정부의 '사죄'가 기만이라는 증거는 이처럼 곳곳에서 찾아볼 수 있다.

밴쿠버 근교의 '소녀상' 설치계획 반대운동은 주로 일본 출신 주민들이 보는 일본어 신문을 중심으로 전개되었다. 캐나다 서해안에 거주하며 영어를 사용하는 일본계 다수파인 일본계 캐나다인들에게는 제대로 알려지도 않고 추진된 것이다. 그들의 배후에는 일본의 우익이나 일본 총영사관의 영향력이 자리한다.

'소녀상' 설치 반대운동을 알게 된 일본계 캐나다인 K씨는 "일본계 캐나다인이 거쳐온 역사를 되돌아보면 소녀상을 지지할 이유는 있어도 반대할 이유는 전혀 없다"고 말했다. 소녀상이 '반일'이 아니라 전쟁 당시의 인권침해를 기억하고, 다시는 그런 일을 저지르지 않겠다는 교훈을 담고 있기 때문이다.

'소녀상' 철거 요구를 포함한 '한일합의' 및 각지에서 벌어지고 있는 '소녀상' 건립을 둘러싼 논쟁에, 일본계 외국인 강제수용에 대한 사죄와 보상 등 과거의 부정의와 마주해온 캐나다의 역사가 시사하는 바는 매우 크다.

피해 당사자의 심정으로
돌아가라!

宮西いづみ

전 전쟁희생자를 마음에 새기는 모임
미에 사무국장

'한일합의'가 매스컴에서 흘러나왔을 때, 이용수 할머니로부터 전화가 걸려왔다. 전화를 받자 그녀는 "왜 우리에게 아무것도 묻지 않죠?"라고 말했다. 이 말은 신문에도 실렸는데, 양국 정부의 고관들이 얼마나 오만했는지를 잘 보여준다.

이것은 누구의 문제일까? 양국 정부는 국가와 국가가 원만하게 일하기 위해 잔재주를 부렸고, 그 과정에서 피해 할머니들은 재료로 이용되었다. 그들의 심정이 어떠했을지는 충분히 이해하고도 남음이 있다.

다음에 걸려온 전화에서 이용수 할머니는 이렇게 말했다.

"그러면 강덕경은 어떻게 되나요?"

우리는 '아시아태평양전쟁의 희생자를 간절히 생각하며 마음에 새기는 미에 모임'을 매년 여름 개최했다. 1992년 그 모임에서 초대한 사람이 이용수 할머니와 고 강덕경 할머니였다. 그때만 해도 이 문제로 당사자를 일본에 초청한 곳은 거의 없었다.

두 분으로서는 해방 뒤 첫 일본 방문으로, 극도의 긴장감 속에서 나고야 공항에 발을 내디뎠다. 그때의 에피소드는 산더미 같지만 여기서는 생략한다. 어쨌든 그 후 두 분은 항상 콤비로 미에 사람들과 교류를 거듭해왔다. 공적인 증언모임뿐만 아니라 함께 지낸 수많은 시간 속에서 실로 여러 가지 속마음을 털어놓았다.

몇 번째 만남이었던가. 좁은 사택 안에서 쌓아올린 이부자리에 등을 기대고 강덕경 할머니가 말했다.

"이제 이 나이에 무슨 돈이 필요하겠어요? 하지만 일본 정부가 여기에, 여기에 돈을 놓게 하고 싶어요."

그녀는 손바닥 한가운데를 다른 손가락으로 찌르면서 진지한 눈길로 그렇게 이야기했다. 그것은 눈에 보이는 형태로 정식 배상을 받고 싶다는 뜻이었으리라.

또 이런 말도 했다.

"일본이 돈을 주면 뭔가 좋은 일을 하고 죽고 싶어요. 그렇지 않으면 저세상에 가서 엄마와 할머니를 볼 낯이 없어요."

고지식한 가톨릭 가정에서 자란 강덕경 할머니다운 이야기였다.

'좋은 일이 뭐예요?'라고 묻지는 않았다. 이 세상에 살면서, 스스로 이해할 수 있도록 자신의 의지로 돈을 쓰고 싶다는 뜻이라고 받아들였다. 해방 후에 그런 날들을 보내지 못하고, 눈을 감기 전 어린 시절 들었던 할머니의 가르침을 떠올린 게 아닐까.

강덕경 할머니는 그 뜻을 이루지 못한 채, 그러나 기만적인 아시아여성기금의 돈은 끝까지 거부한 채 세상을 떠났다. 지금 천국에 계시다면 이번 '정치가에 의한 합의'를 어떤 심정으로 마주했을까.

이용수 할머니는 세 번째 전화에서 이렇게 말했다.

"소녀상은 나 자신이에요. 나를 부수지 마세요. 난 항상 그 애의 몸을 어루만지면서 울고 있어요."

일본 정부는 그동안 피해 할머니들을 두 번, 세 번 죽여왔다. 그리고 이번에 다시 그런 행동을 취했다. 이번에는 한국 정부에 명(命)해서 말이다.

우리 모두 피해 당사자의 마음으로 돌아가야 한다. 당사자를 무시한 정치적 결탁을 더는 용서할 수 없다. 세상의 모든 법률을 초월한 규범, 그것은 바로 피해 당사자의 심정이다. 아무리 소박한 표현이더라도, 그것이 이 문제를 진정으로 해결하는 최고의 법규일 것이다.

오만불손한 일본 정부

누구를 위한, 무엇을 위한 '합의'인가

다카하시 데쓰야

高橋哲哉

도쿄대대학원 교수

한국과 일본의 '합의'로 '위안부 문제'가 '최종적 및 불가역적'으로 해결되었다고 한다. 그러나 도대체 누구를 위한, 무엇을 위한 '합의'인가.

첫째, 이 '합의'에는 가장 중요한 피해 당사자가 빠져 있다. '위안부' 할머니들을 제쳐놓고 한일 정부가 정치적으로 결탁한 '합의'에, 피해 당사자들이 어떻게 동의할 수 있겠는가.

둘째, 일본 정부는 '책임을 통감'하고 아베 총리는 '일본의 내각 총리대신으로서 사죄'한다고 했지만, 가해책임을 인정한 쪽이 피해자가 다시는 문제 삼지 않는다는 전제 하에 '사죄'해주겠다는 태도를 취한다면 이를 과연 '사죄'라고 할 수 있을까.

셋째, '위안부' 할머니를 위해 일본 정부가 한국 정부에 출연할 지원금의 조건이 소녀상 철거라고 한다. 원래는 일본 측이 추도와 반성의 의미를 지닌 기념물을 만들어야 하는데, 피해자 측의 마음을 담은 소녀상을 철거하지 않으면 지원하지 않겠다니 말이 되는가. 이런 오만방자한 태도의 지원이 '마음으로부터' 행해지는 것일 리 만무하다.

일본 정부의 불손함이 이처럼 노골적으로 드러난 '합의'는 어디에도 없을 것이다. 일본 정부가 법적 책임을 명확하게 인정하고, 그에 걸맞은 사죄와 보상을 하는 것 말고 '위안부' 문제를 해결할 방법은 어디에도 없다.

역사를 잊기 위한
'합의'는 용서할 수 없다

김 부 자 金富子

도쿄외국어대대학원 교수

　2015년 12월 28일, 한일 양국 외교장관이 공동기자회견에서
발표한 '위안부' 문제의 '한일합의'는 과거 식민지 지배와 침략
에 대한 가해책임을 얼버무린 '전후 70주년 아베 담화'(2015년
8월 14일)에 새로운 오점을 덧붙인 결과가 되었다. 피해자를 배
제하고, 더구나 가해의 역사를 잊기 위한 '아베 담화' 노선을 실
천한 것이 이번 '한일합의'였기 때문이다.

　'한일합의'에서는 고노 담화보다 후퇴한 사실 인식과 표면적
인 '책임과 사죄'를 표명하는 대가로, 일본 정부가 한국 정부의
재단 설립에 10억 엔을 출연하겠다고 밝혔다. 이를 전제로 '최
종적·불가역적 해결'임을 확인하고 상호 '비난·비판'을 자제

제 2 부 ────── 203
한일 '위안부' 합의를 비판한다

하기로 했다. 더구나 기억의 계승과 역사교육에 대한 언급 없이 한국 정부는 지원단체가 세운 소녀상의 철거·이전까지 시사했다.

'한일합의' 직후 단독기자회견에서 기시다 외상은 "10억 엔은 국가배상이 아니다"라고 밝혔다. 즉, 일본 정부는 '배상금이 아닌 협력금'이라고 할 수 있는 10억 엔으로 한국 정부에 통째로 '해결'을 떠넘긴 것이다.

'한일합의' 이후 아베 총리는 국회에서 직접적인 '사죄의 말'을 하라는 야당의 요구에 거부의사를 밝혔다. 더구나 "성노예가 아니다"라고 내치고, '소녀상'에 대해서도 "이전되는 것으로 알고 있다"고 답변했다. 기시다 외상 또한 국회에서 "성노예란 말은 부적절하고 사용해서는 안 된다"고 대답했다. 어디 그뿐인가. 자민당 의원이 "위안부는 직업매춘부"라고 말하기도 했다. '합의'의 전제인 역사 인식과 사죄를 스스로 배신하는 일본 수뇌 및 정치가의 역사수정주의적 발언이 이어지고 있는 것이다.

아베 정권이 바라는 것은 한일의 '화해'가 아니라 한국 '위안부' 문제의 입막음, 즉 '망각'의 강요이다. 그리고 그것의 성립을 축하하는 파티가 '한일합의'였다. 일본의 주류 언론이 '합의'를 환영하고 높이 평가한 것은 가해의 역사를 잊어버리고 싶기 때문 아닐까.

더욱이 문제는 "피해자가 받아들이고 국민이 이해할 수준"이라는 전제를 공식적으로 표명해온 박근혜 정권이, 그 말을 배신하고 '한일합의'에 이른 것이다.

그 배경에는 한미일 안보보장 체제 재강화의 장애물인 '위안부' 문제를 제거하려는 미국의 압력이 있었던 것으로 보인다. 그런 의미에서 '한일합의'는 한미일의 안전보장을 중시하는 미국을 배경으로 '최종적 해결'을 확인한 한일조약(1965년) 체결의 재현이었다. 뿐만 아니라 피해자와 유족을 업신여긴 세월호 사건에 대한 대응, 정권에 유리하도록 국정교과서 제정 강행 등에서 알 수 있듯이, '합의' 타결에는 피해자의 인권보다 외교적 결탁을 우선한 박근혜 정권의 체질이 그대로 드러나 있다. 그런 의미에서 박근혜 대통령은 한일조약을 강행한 '아버지 박정희의 딸'이었다.

한국에서는 '한일합의' 직후 피해자들이 입을 모아 "완전히 우리를 무시했다", "한마디 의논도 없었으므로 타결이라고 할 수 없다"는 저항의 목소리가 터져나왔다. 각종 여론조사에서도 '합의'에 대해 "동의할 수 없다"는 의견이 과반수를 차지했다.

2016년 1월 14일에는 전국 386개 단체가 '합의' 무효화 운동에 동참하고, 문제 해결을 지향함과 동시에 새로운 모금운동을 시작하겠다고 선언했다. 일본으로 건너와 같은 달 26일 기자회견을 한 이옥선 할머니는 "피해자를 뒤로 물러서 있게 해놓고 진행된 합의"라면서 양국 정부를 비판했다. 더불어 강일출 할머니는 "소녀상 철거는 우리를 죽이는 것과 똑같다"고 말했다. 또한 같은 달 28일 김복동·이용수·길원옥 할머니 등 피해 할머니 10명은 유엔의 모든 기관에 한일합의가 국제 인권표준에 맞는지 확인해달라는 탄원서를 제출했다.

피해 할머니가 바라지 않는 '합의'로, 더구나 역사를 잊기 위한 '합의'로 '위안부' 문제의 막을 내리는 것은 용서할 수 없는 일이다. 더불어 피해자는 한국에만 존재하는 것이 아니라는 사실을 잊어서는 안 될 것이다.

한일합의의 배경에 있는 한미일 동맹과 일본의 개헌

서 徐
勝
승

리쓰메이칸대학 특임교수

2015년 12월 28일, 합의문 없는 한일 외교장관의 합동기자 회견이라는 '극히 이례적인 형태'로 '일본군 위안부에 대한 한일합의'가 이루어졌다.

2016년 처음으로 실시된 한국 갤럽의 여론조사에서 한일합의에 대해 '잘했다'가 26%인 데 반해 '잘못됐다'가 56%이고, 소녀상 철거에 대해서는 72%가 반대하고 있다. 이는 수많은 일본 여론조사와 반대되는 결과다.

한국에서는 이 합의로 일본군 위안부 문제에 대해 '일본이 사죄했다고 생각하지 않는다'는 답변이 72%, '재교섭해야 한다'는 답변이 58%에 이른다. 일본의 경우 '산케이·FNN 합동여론

조사'에서 59%가 한일합의를 높이 평가했지만, 합의가 '최종적
·불가역적'이라고 표명되었음에도 불구하고 81.2%가 '다시 현
안이 될 것이다'라고 대답했다. 합의의 이례적인 형태와 한국
국민의 격렬한 반발에 일본인들도 '이것으로 끝났다'고는 생각
하지 않는다는 뜻이다.

　한국에서는 한국 정권이 밀약했다는 '소녀상' 철거 반대농성
이 계속되고, 야당과 NGO는 일제히 반발하며 재교섭을 요구
하고 있다. 2016년 1월 15일에는 383개 NGO가 '일본군 위안
부 합의 무효와 정의로운 해결을 위한 전국행동'을 조직해 1월
30일 집회를 가졌다.

　그런데 일본에서는 우익을 제외하고 주요 매스컴뿐만 아니
라 공산당을 포함한 정당과 지식인, 일부 일본군 위안부 관련
NGO까지 합의에 대해 높이 평가하고 있다고 한다. 한일 시민
들의 의식에 깊은 균열이 있음을 보여주는 증거다.

　한국의 김준영 교수(한동대 국제정치)는 이 합의를 삼중살(三重
殺)에 비유하며 한국 외교역사상 최악의 교섭이라고 평가했다.
우선 국민을 대표해야 할 한국 정부가 피해 당사자나 국민의 사
전 양해 없이 교섭을 강행하고, 오히려 일본 정부를 변호하며 대
표했기 때문이다. 사죄의 주체와 대상조차 모호한 채로 기시다
외상이 '대독'했으며, 한일 수뇌의 통화내용 공개는 거부되었다.
또 일본 정부가 저지른 범죄행위의 조직성과 불법성을 언급하지

않았고, 합의의 어디에도 '공식적 사죄'가 명시되지 않았다.

냉정해야 할 외교에서 박근혜 대통령은 일본군 위안부 문제에 대해 목소리를 높여 감정적으로 일본을 비판했다. 하지만 결과적으로 기시다 외상이 "잃어버린 것은 10억 엔뿐"이라고 한 것처럼 아베 정권의 의도에 완전히 넘어가고 말았다. 애초 '최종적·불가역적' 외교는 있을 수 없으므로 외교 카드를 잃어버린 것이다.

무엇보다 이번 합의는 '한미일 동맹'을 밀어붙이는 미국의 강요적 알선으로 이루어졌다. 미국은 '한미일 동맹'을 우선적으로 추진하면서 일본군 위안부 문제를 장애물로 판단했다. 그리하여 동아시아 안전보장의 방해물이, 과거 청산에 소극적인 일본이 아닌 일본군 '위안부' 문제를 고집하는 한국인 것처럼 본말전도의 상황을 만들어내 한국을 압박했다. 그런 흐름 속에서 한국은 중국 압박의 선두에서 사드 미사일까지 구입하기로 했다는 이야기가 나오고 있다.

영국 잡지 〈가디언〉에 따르면 이번 한일합의는 오바마 정권의 지속적인 때로는 노골적인 압력의 결과로, 승자는 일본과 미국이라고 한다. 동아시아의 국제정치 전략이라는 관점에서 한국 외교는 실패했으며, 시대에 뒤떨어진 진영 논리로 유연성을 잃어버린 채 미일의 요구대로 휘둘리게 되었다는 것이다.

한국의 외교적 관점에서 바라본 논평이기는 하지만, 일본군 위안부 문제가 동아시아의 첨예한 국제정치 속 소용돌이에 있다는 것을 잘 보여준다.

아베 정권은 말할 것도 없고 박근혜 정권마저 사죄에 대해, "사과했으니 됐잖아"라는 식으로 어린아이의 도구처럼 여기며 '마무리' 차원에서 '합의'하고 끝낸 것처럼 보인다.

전쟁범죄와 여성인권 유린을 정치나 국제정치, 군사·안보 보장의 이해득실 문제로 끝내는 것 자체가 한일관계, 나아가 일본과 동아시아의 갈등 및 대립을 지속시켜온 요인 아닌가. 더욱이 한일관계의 악화를 우려하는 '양심적 지식인들'조차 이런 식의 합의로 충분하다고 착각하는 듯하다.

인간의 존엄과 인권, 역사 부정의의 회복은 국가 간의 정치나 외교로 '타결'하거나 '타협'할 수 있는 문제가 아니다. 정치가 그 가면을 벗겨 적나라한 인간으로서 엄청난 포악(暴惡)의 희생자와 내면으로 마주해야 비로소 용서받을 수 있다. 그것이 독일의 빌리 브란트(Willy Brandt)나 바이츠제커(Richard von Weizsäcker)가 실천했던 '큰 정치'이다. 아베 총리나 박근혜 대통령은 아마 생각도 못할 것이다.

많은 학자가 이번 한일합의와 한일조약의 차이점을 논하고 있지만, 인간의 존엄과 권리를 정치의 거래도구로 삼은 것은 이번만이 아니다. 인권문제를 국익의 수단으로 삼으려는 미국의 강압적 개입에 일본이 편승함으로써, 식민지 지배책임 청산을 사명으로 해야 할 한일교섭이 왜곡되면서 한일관계 정상화

일본 활동가들이 말하는 **한일 '위안부' 합의의 민낯**

에 화근을 남긴 적이 있다. 바로 베트남 전쟁이다.

미국이 베트남 전쟁에 한국과 일본을 동원하자 일본은 동아시아 냉전의 강력한 한쪽 날개를 형성하려는 미국의 압력을 기회로 삼아 "한국병합조약은 적법하게 체결되었다", "조선을 식민지로 지배함으로써 일본이 조선을 착취한 게 아니라 비용을 부담해 조선을 근대화시켰다"라는 제국주의적 주장을 관철해 왔다.

냉전이 아득히 멀어진 오늘날, 미국은 시대착오적 한미일 동맹의 당위성을 강조하기 위해 북한을 희생양으로 삼아 중국을 견제하고 있다. 그 결과 동아시아의 군사적 긴장을 유지하며 미국 군산복합체의 이익을 충족시킴과 동시에, 한국과 일본을 한미일 동맹에 묶어두고 미국의 세계 패권을 관철하기 위한 앞잡이로 사용하는 중이다.

아베 정권은 그런 미국의 의도에 영합하면서 군사화의 욕망을 충족시키고, 헌법 개정에 탄력을 붙이려 하고 있다. 미일의 추악한 2인 3각을 위해 일본군 위안부 문제를 도구로 이용하는 것은 범죄가 아닐 수 없다.

한일조약과 마찬가지로 이번 합의가 '국가 간 합의'라는 권위를 얻게 됨으로써 '위안부' 문제의 본질적 해결은 더욱 곤란한 지경에 빠지면서 그 운동 또한 고립될 뿐만 아니라, 안전보장의 방해자라는 낙인이 찍히며 방대한 압력에 직면하게 될 것이다.

그러나 과거청산 운동은 원래 강대한 국가권력과의 대결 속에서 이루어져온 것인 만큼, 역사의 부정의는 그 어떤 권력도 지워 없앨 수 없을 것이다.

식민지 지배, 복합차별과
일본군 성노예제의 긴밀한 관계

모 토 유 리 코

元 百合子

오사카경제법과대학 21세기사회연구소
객원연구원

안전보장 정책상의 이유로 미국이 한일 관계를 개선하라고 압력을 넣자, 한일 정부는 피해자를 제쳐두고 '한일합의'를 거행했다. 겉으로는 '피해자를 위해서'라고 했지만, 합의 내용은 피해자와 지원단체가 오랫동안 추구해온 성심성의의 해결책과는 거리가 멀다. 많은 사람이 종종 아시아여성기금에 대해 행하는 비판, 즉 '금전으로 피해자를 침묵시키려는 시도'라는 비판을 다시금 받을 수 있는 사안이다. 그와 동시에 일본이 비준한 조약의 실시기관을 포함해 여러 유엔 인권기관이 계속 주장해온 권고에 상응하는 것도 아니다.

이번 합의는 법적 책임을 인정한 정식 사죄와 배상, 일본 정부가 소유한 모든 관련 문서와 정보의 공개, 피해자 증언의 증거가치 승인, 살아있는 가해자의 소추와 처벌, 일본 정부의 역사적 사실 부정과 책임회피의 획책 자제, 정치가와 재특회(재일 한국인의 특권을 용납하지 않는 모임) 등에 의한 사실 부정과 피해자에 대한 모욕 및 명예훼손에 대한 반박과 규제, 과거의 잘못을 되풀이하지 않기 위한 역사교육과 시민계몽이라는 불가결한 조치에 대한 언급이 전혀 없거나 매우 모호한 표현에 머물러 있다. 구체적인 조치는 앞으로 교섭을 통해 결정한다고 하지만, 일본 정부가 일관되게 유엔의 권고와 피해자의 목소리를 외면하고 있는 만큼 성과를 기대하기는 힘들다.

그 배후에는 문제의 본질을 올바르게 인식하지 못한 치명적인 문제점이 있다.

첫째, 일본군 성노예제는 침략전쟁과 식민지·점령지 지배에 깃든 타민족 멸시와 여성 멸시가 어우러져 만들어진 대규모 인권침해라는 인식이 빠져 있다. 식민지 지배의 이데올로기적 기반이었던 자민족 우월사상이 상상을 초월하는 잔혹함을 동반해, 열등하다고 여기는 민족의 여성에게 궁극의 성폭력을 조직적으로 실행할 수 있게 한 것이다.

여성에 대한 성폭력 측면만 부각해 '반성과 사죄'를 했다고 해서 — '복합차별'이라는 말조차 없었던 시대에 — 이미 그 본질을 날카롭게 간파한 피해자나 지금 그러한 인식을 공유한 사람들에게 높은 평가를 받지 못하는 것은 당연한 일이다.

일본은 그동안 침략과 식민지 지배, 즉 타민족에 대한 대규모 살육과 파괴, 철저한 수탈과 무수한 학대행위를 진지하게 반성하고 진심으로 고개 숙이지 않았다. 또한 우호를 추구하기 위한 교육이나 시민 계발을 하지 않음으로써 일본 사회 전반에 가해자라는 자각이 너무나 희박하다.

아베 총리에 이르러서는 "침략의 정의는 정해지지 않았다"는 말로 가해 역사를 부정해 국제사회의 실소를 자아내고 있다. 이런 자세를 고치지 않는 한 한국뿐만 아니라 아시아태평양 국가들의 신뢰를 받기는 쉽지 않다.

둘째, 피해자의 인권침해는 과거가 아니라 현재도 이어지고 있다는 사실을 간과하고 있다. 몸과 마음의 깊은 상처를 치유하지 못한 채 살아온 고령의 생존자에게, 정부 관료를 포함한 공인과 개인들의 입에서 잇달아 터져나오는 사실 부정과 역사 왜곡, 모욕은 견디기 힘든 정신적 고통이다. 용기를 짜내어 증언한 피해자들을 '거짓말쟁이'나 '직업적 창부'로 부르는 등의 일은 유엔 인권기관이 계속 지적한 것처럼 의연하고 신속하게 대응해야 할 현재진행형의 인권문제다.

주로 재일 한국인을 표적으로 삼은 심각한 혐오발언을 비롯해, '위안부 문제의 진실'이라는 이름의 역사 왜곡과 명예를 훼손하는 전시회 개최도 같은 뿌리에 있는 문제다. 정부는 헌법상 '표현의 자유'가 있다면서 방치하고 실제로 용인해왔지만, 국제인권 기준에 비춰보면 용서할 수 없는 일이다. 피해자의 '명예 회복을 지향하는 사업'과 반대로 행동하면서 입으로만 하는 '사죄'는 공허한 메아리로밖에 들리지 않는다.

'위안부' 문제의 기만적 '합의'는 용서할 수 없다

쓰보카와 히로코

坪川宏子

'위안부' 문제해결 올(All)연대네트워크
사무국장

한일 외교장관의 공동기자회견(질의응답 없었음.)은 한순간 불충분하지만 한 걸음 진전된 것으로 보였다. 하지만 그 후 일본 대사관에서 열린 기시다 외상의 기자회견과 질의응답을 듣고 나는 아연하고 분노했으며 절망스러운 기분에 휩싸였다.

기시다는 일단 인사말로 이 '합의'는 '획기적'이고 '한일은 미래지향적인 새로운 시대로' 나아가고 있으며, '한미일 안보보장 협력도 강화'되어 '일본의 국익에 이바지하고 있고', '동북아시아의 평화와 안정에 크게 공헌'하고 있다고 성과를 자랑했다. 여기에는 '피해자'의 '피'자도 등장하지 않았다. 과연 이것이 무엇을 위한 합의였는지 한눈에 알 수 있었다.

이어지는 질의응답에서도 이미 법적으로 해결되었고, 10억 엔은 '배상이 아니'라고 말했다. '합의'의 실제 내용을 살펴보면, 일본 정부는 자국에 의한 중대한 인권침해 피해자의 25년에 이르는 '정의로운 회복' 요구에 응답한 것이 결코 아님을 명백히 알 수 있다. 더구나 본래 가해국에서 해야 할 일을 교활하게도 피해국 정부에 떠넘김으로써 한국 내에서 대립하는 구도를 만들었다.

너무도 갑작스러운 전개에 새해 기분을 느낄 틈도 없이 우리 올연대에서는 질의응답에서 확인한 사실 인정 등 5가지 문제점과 청구권에 관한 최고재판소 판결에 초점을 맞춰 항의성명을 작성, 1월 6일 발표했다. 4일부터 열린 국회에서 아베 총리의 "전쟁범죄에 해당하는 종류의 것을 인정한 것은 아니다", "군에 의한 강제연행 관련 자료가 없다는 입장에는 변함이 없다"는 발언과 기시다 외상의 "'성노예'라는 말은 사실에 반한다"는 답변(1월 18일 참의원)으로 '합의'는 마침내 마각을 드러냈다.

예전에 세계적인 사죄 사례를 조사한 적이 있었다(《전쟁책임 연구》 83호). 피해자가 요구하는 해결을 아베 총리가 행하기는 불가능에 가깝지만, 다른 나라에서는 완벽하다고까지는 할 수 없을지라도 납득할 수 있는 선에서 사죄가 이루어진 경우가 없지 않았다. 여기에서는 간략하게밖에 쓸 수 없지만, 독창적이고 진심이 담겨 있는 장문의 사죄문과 그 증거인 보상이 피해자에게 직접 전해져 잘 마무리된 사례가 적지 않다. 사죄의 전제는 피해(가해)사실의 인정이다. 진실이 밝혀짐으로써 모든 사례의 피해사실은 대단히 구체적이고, 피해자의 체험증언을 인용한 사죄도 많다.(미국의 일본계 외국인 사죄와 캐나다·호주의 원주민에 대한 사죄 등)

그들은 중대한 부정과 인간 존엄의 혹독한 경시, 인권·헌법상의 침해였다고 국가의 책임을 명확히 인정하고 사죄했다. 형식은 모두 국회 연설이나 법률적인 공식사죄로, 피해자 대표를 국회로 초청해 바로 앞에서 사죄하거나, 한 사람 한 사람에게 사인이 들어간 사죄편지를 보냈다. 동시에 재발 방지를 위한 기억의 계승으로써 홍보나 차세대 교육을 언급했을 뿐만 아니라, 이에 필요한 자금을 명기해 조치한 사례도 있다.(미국의 일본계 외국인 사죄, 독일의 기억·책임·미래기금, 캐나다 등)

그들에 비해 아베 총리의 사죄는 너무도 어설프지 않은가. 사실 인정은 총괄적으로 "군의 관여 하에 다수 여성의 명예와 존엄에 깊은 상처를 입힌 문제다"라는 한 줄뿐이다. 이는 '고노 담화'의 문장 그대로인데, '고노 담화'에 있던 군의 관여, 의사에 반한 연행, 강제적 위안소 생활 등의 내용을 모두 잘라버리고, 구체적으로 어떤 피해사실이 있었는지 제시하지 않았다. '이런 관점에서 책임을 통감'한다고 추가했지만, 가해사실을 모호하게 표현했기 때문에 책임 역시 모호하다. "'위안부'로서 …

치유하기 어려운 상처를 입은 모든 분에 대해 마음으로부터 사죄와 반성의 마음을 표명합니다"라고 했지만, 이것도 '고노 담화'의 복사판이다. 게다가 발표문을 외상에게 대독시키고 '사죄 끝!'이라고 한다.

그 후 박 대통령에게 전화해 똑같은 문구로 사죄했지만, 사죄해야 할 상대가 누구인지 생각이나 했을까. '고노 담화'에서는 기억의 계승 문제를 격조 높게 말했지만, 이번에는 한마디도 하지 않았다. 이 문제를 다음 세대로 절대 이어지지 않게 하기 위해 합의(12. 28. 아베)했으므로 당연하다고 해야 할까.

내용과 형식 모두 피해자의 마음에 닿지 않는 사죄이고 마음을 무시한 '합의'로, 세계적인 추세에도 역행한다. 정말 부끄럽기 그지없다. 그러면서 피해자의 "마음에 다가가는 나라가 되고 싶다. …21세기는 여성 인권이 상처 입지 않는 세기로 만들기 위해 세계를 선도하고 싶다"(아베 담화)고 말하다니, 가소롭기 짝이 없지 않은가.

우리는 아시아여성기금의 실패를 극복하고 모든 피해국·지역의 피해자와 함께 정의를 회복하기 위한 해결책을 도모해왔다. 그중 한국의 요구가 가장 돌출된 문제였으므로 이 문제가 한일 간에 수렴되도록 하고, 이를 돌파구 삼아 다른 피해자에게도 마찬가지의 해결책을 요구할 방침이었다. 그런데 일본 정부는 이 기만적 '합의'를 들고 나와 모든 '위안부' 문제의 '최종적 및 불가역적 해결'로 막을 내려버릴 속셈이다.(타이완과의 협의를 거부하고, 중국과 동티모르에는 가지 않겠다고 유엔 여성차별철폐위원회에 회답) 이 얼마나 인권을 무시하는 교활한 행위인가.

당사자를 배제한 '정치적 결탁'에 화가 난다. 하지만 아흔이 되어서도 아직 한일 정부와 싸우는 피해 할머니들의 의지와 존경스러운 모습에 힘을 얻으며, 모든 피해자와 함께 일본 정부에 진정한 해결을 촉구해나갈 것이다.

'평화의 소녀'는 왜 그곳에 계속 앉아있는가

岡本有佳
오카모토 유카

일본군 '위안부' 문제 웹사이트 Fight for Justice
운영위원

'한일합의'는 역사교육을 언급하지 않았을 뿐만 아니라 '소녀 상'의 철거·이전까지 시사하고 있다. '소녀'는 왜 그곳에 계속 앉아있는가. 우리는 그 의미를 새삼 생각해봐야 한다.

일본군 '위안부' 피해자들의 인권과 명예를 회복하기 위해 시 작한 수요집회의 1,000회차를 기념해 시민 성금으로 2011년 12월 14일 세워진 것이 '소녀상'이다. 장소는 '위안부' 피해자들 이 20년간 계속 집회를 열어온 '평화로'. 두 번 다시 같은 일이 일어나서는 안 된다는 피해자들의 의지를 이어받은 자리이다.

'소녀상'을 만든 사람은 조각가 김서경 씨와 김운성 씨 부부 이다. 두 사람은 예술가로서 반성의 마음을 담아 '소녀상' 건립을 계획한 정대협을 직접 찾아갔다고 한다. 소녀상의 각 부분에는 그들의 깊은 뜻이 담겨 있다.

'소녀상'이 있는 바닥에는 할머니 모습의 그림자를 별도로 새겼다. 할머니들의 한과 분노가 오랫동안 쌓인 그림자라고 할 수 있겠다. 그림자의 가슴에 있는 하얀 나비는 돌아가신 할머니들이 부디 환생해서 한을 풀기를 바라는 염원이 담겨 있다. 또한 조금 들고 있는 '소녀상'의 발뒤꿈치는 40년이 넘는 동안 아무 이야기도 하지 못한 할머니들의 아픔을 표현하고 있다. '소녀상' 옆의 빈 의자는 이미 돌아가신 할머니들의 빈 자리를 나타냄과 동시에 누구나 앉아서 할머니(소녀)의 마음을 헤아려보고 공감하기를 바라는 마음이 담겨 있다.

동시에 '소녀상'이 피해 할머니들의 마음을 치유하고 있다는 사실을 우리는 알아야 한다. 그것을 '자신의 분신'처럼 여기는 할머니도 계신다. 미국 캘리포니아 주 글렌데일의 '소녀상' 제막식에 참석한 김복동 할머니는 "소녀상과 헤어질 때, 내 분신을 두고 돌아오는 듯한 느낌이 들어 슬퍼서 어쩔 줄 몰랐다. 몸이 찢기는 것 같아 말로 표현할 수 없는 기분이었다"라고 말했다.

'한일합의'가 발표된 후 이용수 할머니는 "소녀상을 찾아갈 때면 얼마나 위로가 됐는지 모른다. 일본이 사죄한 뒤, 추운 곳에 맨발로 앉아 있는 소녀상에 신발을 신겨줄 것"이라고 말했다.

2016년 1월 26일, '한일합의' 이후 피해 당사자로서 처음으로 일본을 방문한 강일출 할머니는 기자회견에서 "소녀상을 철거하든지, 우리를 죽이든지 하세요. 소녀상을 철거하고 싶으면 우리를 먼저 철거하세요. 우리가 살아있는데 소녀상을 철거하는 건, 우리들을 죽이는 것과 마찬가지입니다"라고 말했다.

이처럼 '소녀상'은 일본의 수많은 미디어에서 말하는 '반일'의 상징이 아니다. '위안부' 피해자의 고통을 기억하고, 피해자를 치유하며, 두 번 다시 같은 잘못을 저지르지 않기를 바라는 평화의 마음이 담겨 있다. 2015년 1월 도쿄 갤러리 후루토(古藤)에서 열린 〈표현의 부자유전〉에서 '소녀상'을 전시했는데, 2,700명 이상의 방문객이 '소녀상' 옆의 빈 의자에 앉아 교감하는 모습을 보고 새삼 그 사실을 실감했다.

이용수 할머니는 이렇게 말했다. "소녀상을 도쿄 한가운데에 세워 (일본인이) 오가며 사죄해도 시원치 않는데, 한국에 세운 것도 다른 곳으로 옮기려 하고 있어요."

지금은 '소녀상'을 철거할 때가 아니다. 오히려 일본에도 이런 기념비가 필요하지 않을까. 가해역사의 기념비가 베를린의 정치·역사적으로 중요한 곳에 위치해 있는 사실을 떠올려보자. 자국의 가해역사를 계속 기억하는 것이야말로 같은 잘못을 되풀이하지 않기 위한 미래에 대한 책임이다.

* 이 글은 수요집회가 24주년을 맞이한 2016년 1월 6일, 외무성 앞에 서 행해진 '수요시위 연대행동'의 연설을 가필 수정한 것이다.

* 별다른 출전이 없는 것은 다음의 두 권을 참조했다.

1) 일본군 '위안부' 문제 웹사이트 제작위원회 편, 오카모토 유카·김부자 책임편집, 〈Fight for Justice 무크, '평화의 소녀상'은 왜 계속 앉아있는가〉(세오리쇼보世織書房, 2016년).

2) 일본군 '위안부' 문제 웹사이트 제작위원회 편, 김부자·이타가키 류타 책임편집, 『Q&A '위안부' 문제와 식민지 지배 책임』(오차노미즈 쇼보, 2015년)

고등학생에게
배워라

요시이케 도시코
吉池俊子

아시아포럼 요코하마 대표

"이게 사죄야?"

내가 가르치던 고등학생이라면 즉시 이렇게 반응했을 것이다.
"'합의'하기 전에 피해자를 만나야 하잖아요. 나이가 많아서
모른다고 무시하는 것인가?', '이래서는 싫다'라고 할머니가 분
명히 말했잖아요. 그렇다면 다시 생각하는 게 당연해요. 이렇게
기다리게 했으니 피해자가 이해할 수 있는 내용을 내놓는 게
당연하잖아요"라고 말이다.

고등학교 교사 시절 '위안부' 수업을 할 때마다 학생들이 항
상 제기하던 의문이 있었다. "왜 그런 짓을 했어요?", "어떻게
그런 짓을 할 수 있어요?"

많이 가르치면 가르칠수록 질문은 더욱 예리해졌다. 수업의 마지막에 이르러 각자의 느낌을 이야기할 때는 "우리에게 책임이 있다고 생각해요", "우리가 어떻게 해야 할까요?"라고 말했다.

전후 보상에서 꼭 해야 할 7가지를 알려주면 생각이 더욱 깊어지는 듯했다. 그 7가지는 다음과 같다.

① 진상 규명
② 명예회복 조치
③ 손해배상(보상)
④ 원상회복
⑤ 갱생(Rehabilitation)
⑥ 책임자 처벌(할 수 없는 경우에는 배상)
⑦ 재발방지 대책

"이번 '합의'에서 이 7가지를 제대로 했나요?"라는 학생들의 목소리가 들려오는 것 같다.

청일전쟁 이후 일본은 '문명의 피부를 입고 야만의 뼈와 근육을 가진 괴수'였던 일본군의 실태와 침략전쟁의 실상을 감춘 채, "왜 그런 짓을 한 겁니까?"라는 목소리를 억누르기 위해 교과서에서 '위안부' 기술을 삭제했다.

그런데 한일합의를 하자마자 "위안부는 매춘부였다"고 공언하다니…. 사죄가 진심이 아니었음이 뻔히 보이지 않는가. 일본 정부는 "왜 그런 짓을 한 겁니까?"라는 고등학생들의 진지한 의문에 답해야 할 것이다. '진상 규명' 없는 말뿐인 사죄는 우습기 짝이 없다.

일본 정부여, 고등학생에게 배워라!

'위안부' 수업이 어려운 이유는 학생들이 '피해 실태'를 이해하기 힘들다는 점에도 있다. 아직 생리도 시작하지 않은 어린 소녀들이 속기나 협박을 당해 낯선 곳으로 끌려간 후 강제로 성노예가 되었다. 저항하면 군도로 베어버리거나 벨트로 때리고 군화로 짓밟았다. 자살도 할 수 없는 상태에서 절망만이 이어진다…. 아무리 상상력이 풍부해도 그런 상황을 제대로 이해하기는 어려울 것이다.

그래도 학생들은 역사적 사실을 제대로 이해하기 위해 진지한 노력을 기울였다. 책을 읽고 자료를 조사하고 관련 영상을 보았으며, 니시노 루미코('전쟁과 여성에 대한 폭력' 리서치 액션센터 공동대표) 씨의 이야기를 듣기도 했다. 개중에는 "방위청 자료를 꼼꼼히 조사하고, 경험자나 당시 군인을 찾아가 말하기 힘든 부분도 취재했다는 사실을 알게 되었다. 단 한 줄의 문장 뒤에 얼마나 많은 연구와 조사가 있었는지 처음으로 알았다. 아는 것은 괴롭지만 모르면 안 된다는 사실 또한 깨달았다"면서 고개를 끄덕이는 학생도 있었다. 그런데 일본 정부는 사실을 알려고 하지 않

일본 활동가들이 말하는 한일 '위안부' 합의의 민낯

고, 피해자에게 다가가지도 않는다. 그렇다면 이번 합의는 과연 누구를 위한 것인가.

어느 대학 세미나 투어에 참가했을 때, '위안부'의 존재를 처음으로 알게 된 고등학생들은 상상을 뛰어넘는 경험을 강요받은 피해자가 지금 무슨 생각을 하고, 자신들에게 무엇을 바라는지, 그들의 목소리를 듣고 싶고 받아들이고 싶다고 말했다. 학생들의 이야기는 세미나가 끝났음을 알리는 종이 울려도 계속되었다. 그리고 "피해 할머니의 목소리를 직접 듣고 싶다", "피해자의 마음에 다가가고 싶다"는 결론을 내렸다. "굉장하다!"고 말하는 나에게 "사람이라면 당연하다"고 그들은 대답했다.

고등학생에게 배워야 한다.

나눔의 집을 방문한 한 대학생은 할머니의 손을 잡고 눈을 바라보며 시종일관 진지한 태도를 유지했다. 많은 시간이 지난 후에도 자세를 흐트리지 않고 말이다. 이번 '합의'에 이런 '사람의 마음'이 만분의 일이라도 들어가 있는가. 매주 수요일마다 들려오는 할머니들의 목소리에 귀를 닫고, 더군다나 소녀상을 철거하려 하다니…, 이게 인간으로서 할 짓인가.

일본 정부는 그 대학생에게 배워야 한다.

"일본은 아직도 70년 전의 전쟁은 '침략이 아니었다'고 주장하고 있다.
역사 인식에 관해 일본은 세계 속에서 정말로 독특한 나라가 되어버렸

다."(아카가와 지로赤川次郎, 작가, 도쿄신문 2016년 1월 24일)

역사인식만이 아니라 일반명사에 대한 생각도 독특하다. "사죄란 무엇인가, 그 의미를 제대로 배워라"라고 고등학생들이 소리칠 것 같다. '위안부'들이 당한 말로 형언할 수 없는 가해에 대해 진심으로 사죄하고, 원인을 규명해 두 번 다시 같은 잘못을 되풀이하지 않겠다고 맹세하며 최대한 성의를 보이는 것이 올바른 인간의 길이다.

만에 하나 상대가 "이제 괜찮아요" 하고 말하더라도 그 말을 그대로 받아들여서는 안 된다. 더구나 '최종적 및 불가역적 해결'이란 말을 사용하다니, 이것이 가해자가 할 수 있는 말인가.

"이런 식의 합의는 안 돼!"

학생들의 분노어린 눈동자를 앞에 두고 어른으로서 할 말이 없다. 그래서 이번 합의는 더욱 인정할 수 없다.

일본 정부여, 고등학생에게 배워라!

전후 70년에
일어난 일

아베 담화와 한일합의

方清子
방
청
자

일본군 '위안부' 문제 간사이네트워크
공동대표

　전후 70년을 기해서 나온 아베 담화는 일본이 저지른 식민지 지배와 침략전쟁, '위안부' 등 전시 성폭력의 가해책임을 명확히 인정하지 않았고, 자신의 말로 사죄하지도 않았다. '위안부'에 대한 언급 없이 "전장(戰場)의 뒤에는 명예와 존엄에 깊은 상처를 받은 여성들이 있었다"라고 남의 일처럼 말했을 뿐이다.

　"그 전쟁과 아무런 관계가 없는 우리의 아들이나 손자, 그리고 다음 세대 아이들에게 계속 사죄할 숙명을 지워서는 안 됩니다"라는 말을 듣는 순간, 나는 1985년 종전 40년의 독일에서 바이츠제커 대통령이 행한 연설이 떠올랐다.

"죄의 유무, 남녀노소를 불문하고 우리 모두가 과거를 떠맡지 않으면 안 됩니다. 모두가 과거의 귀결과 관련이 있고, 과거에 대한 책임이 있습니다."

아베 담화는 마지막에 "가치를 공유하는 나라들과 손을 잡고 '적극적 평화주의'의 깃발을 높이 내건 뒤, 세계 평화와 번영에 지금까지보다 더 공헌해나가겠습니다"라는 말로 껄끄러운 과거와 결별하고 다시 전쟁의 길을 여는 쪽으로 결의를 보였다.

그리고 2015년 12월 28일, 전후 70년의 마무리라고 할 수 있는 한일 외교장관회담이 갑자기 열리더니 일본군 '위안부' 문제에 대한 '합의'를 발표했다. 피해 당사자를 배제한 채 진행된 한일 양국 정부의 결탁에는 한미일 안보협력을 우선하는 미국이 개입한 제2의 한일조약(1965년)이란 비판이 따라붙었다.

하지만 일본에서는 환영과 지지의 목소리가 확대되었다. 정부로서 '책임을 통감'하고, '마음으로부터 사죄와 반성'을 표명한 것을 높이 평가하는 분위기이다.

그러나 이 말의 전제라고 할 수 있는 책임의 주체나 역사적 사실은 전혀 언급되지 않았다. 뿐만 아니라 총리가 피해자에게 직접 사죄의 말을 전하지 않고 박근혜 대통령에게 전화로 이야기했다. 또 국고에서 지원하는 10억 엔은 앞으로 한국 측이 전개할 피해자의 명예와 존엄의 회복, 마음의 상처를 치유하기 위한 사업용으로, 본래 일본 정부가 해야 할 일을 한국 측에 떠넘긴 것이라고 할 수 있다.

이처럼 '합의'는 '최종적 및 불가역적 해결'을 선언했을 뿐만 아니라, 한국 측에 앞으로 유엔 등 국제사회에서 비난·비판을 삼갈 것을 약속하게 했다.

합의문 발표 후, 한국 정부가 피해자에게 설명차 갔다고 하지만, 이것은 설명이 아니라 강요에 불과하다. 한국 정부가 가장 먼저 해야 할 일은 합의 내용을 받아들이도록 피해자를 설득하는 것이 아니다. 거액의 돈을 사용해 재단을 세우는 것도 아니며, '소녀상'을 옮기는 일은 더욱 아니다. 피해자가 원하는 것이 무엇인지 귀를 기울여야 한다. 전쟁이 끝나고 위안소에서 해방된 후에도 고난 속에서 평생을 보낸 피해자들의 얼마 남지 않은 인생에, 정부로서 해야 할 일이 있으리라.

일본 정부가 피해자에게 '사죄'하려는 마음을 가지고 있다면 일단 피해자들이 직접 느낄 수 있도록 진지한 태도를 취해야 한다. 그것이 피해자의 명예와 존엄 회복을 위한 첫걸음이기 때문이다. 이번 합의는 피해자들의 오랜 호소를 외면하고 일방적으로 추진함으로써, 한일 양국 정부가 할머니들에게 또다른 상처를 입혔음을 깨달아야 한다.

25년 전 김학순 할머니가 실명으로 '위안부' 피해사실을 처음 증언한 후 문제의 해결을 촉구하는 운동이 줄을 이었다. 일본에서도 피해자 지원과 재판투쟁, 시민사회와 국제사회에 대한 호소 등 어려운 상황에서도 다양한 활동이 계속되었다. 한편, 학자들의 조사와 연구가 쌓이면서 수많은 역사적 사실이 밝혀졌다.

이런 시도들로 인해 일본의 전쟁범죄뿐만 아니라 전시 성폭력의 실상에 다가가면서, 이 문제를 인류에 대한 국가범죄로써 단죄해야 한다는 지점에 이르렀다. 일본군 '위안부' 제도가 당시에도 중대한 전쟁범죄였음이 이제는 국제사회의 공통적인 견해로 자리잡았다. 또한 현재의 전시 성폭력과 여성 인권으로 이어지는 논의로 발전하기도 했다. '위안부' 문제는 이미 한일 양국 정부가 결말을 낼 수 있는 차원을 넘어섰다고 봐야 한다.

바이츠제커 독일 전 대통령은 "과거에 눈을 감은 자는 결국 현재에도 눈을 감게 됩니다. 비인간적인 행위를 마음에 새기려고 하지 않는 자는 또 그런 위험에 빠지기 쉽습니다"라고 말했다.

전시 성폭력의 역사를 없던 것으로 한다면, 앞으로 일어날지도 모르는 전쟁에서 일본이 같은 잘못을 저지르지 않는다고 장담할 수 있을까. 피해자들이 왜 "다시는 우리 같은 괴로움을 당하는 사람이 없도록", "우리로 끝내고 싶다"라고 비통한 심정으로 호소하는지 그 뜻을 생각해보아야 한다.

'한일합의'에 대해 한국과 일본에서 많은 비판적 성명이 나왔다. 한일회담 전날인 2015년 12월 27일, 한국의 일본군 '위안부' 연구회 설립준비위원회에서 〈일본군 '위안부' 문제, 섣부른 '담합'을 경계한다〉라고 성명을 냈지만, 한일 양국 정부는 말 그대로 '담합'의 길로 돌진했다. 한일 외교장관회담 후 정대협은 〈일본군 '위안부' 문제 해결을 위한 한일 외교장관회담 합의에 대한 정대협의 입장〉을 발표했다. 그리고 2016년 1월 14일, 383개 단체가 모여 〈한일 일본군 '위안부' 합의 무효와 정의로운 해결을 위한 전국행동〉을 발족했다.

일본에서도 2015년 12월 29일 일본군 '위안부' 문제해결 전국행동, 12월 30일 '위안부' 문제에 관한 한일 외교장관회담에 뜻을 같이하는 변호사 성명을 시작으로, 많은 시민단체에서 성명을 발표했다. 1월 23일에는 '전쟁과 여성에 대한 폭력' 리서치 액션센터(VAWW RAC)에서 성명을 발표했다.

수많은 성명 가운데 〈한일 일본군 '위안부' 합의 무효와 정의로운 해결을 위한 전국행동 발족 선언문〉을 아래에 수록한다.

한일 일본군 '위안부' 합의 무효와 정의로운 해결을 위한

전국행동 발족 선언문

———

2015년 12월 28일 한국과 일본의 외교장관이 일본군 '위안부'

문제에 관한 '합의'를 발표했습니다. 그러나 이 소식을 전해들은 일본군 '위안부' 피해자들은 실망을 감추지 못했고, 이를 결코 일본 정부의 사죄로 받아들일 수 없다고 호소하고 있습니다.

이 합의가 이루어지기까지 피해자들은 아무런 설명도 듣지 못했습니다. 피해자들의 의견을 반영하기 위한 양국 정부의 노력이 전혀 이루어지지 않은 것입니다. 한일 외교장관 '합의'는 피해자들과 지원단체들의 요구를 전혀 담지 못한 것입니다.

일본은 국가적 차원에서 조직적으로 자행한 범죄행위라는 사실을 인정하지 않았습니다. '책임을 통감'한다고 하고서는 '법적 책임'은 아니라고 주장하며, 10억 엔을 출연한다고 하고서는 '배상금'은 아니라고 주장합니다. 진상 규명이나 역사교과서 기록 교육, 추모사업 등 재발 방지를 위한 후속조치 약속도 일절 없습니다.

그런데도 양국 정부는 이것을 '최종적 및 불가역적 해결'이라 확인하고, '국제사회에서 상호 비난·비판을 자제'한다고 선언했습니다. 한국 정부는 피해자들과 시민들이 세운 평화비(평화의 소녀상)에 대한 일본 정부의 우려가 해결되도록 노력하겠다는 약속까지 했습니다.

이렇게 한일 양국 정부는 일본군 '위안부'라는 반인도적 범죄행위에 대해 피해자들을 배제한 채 졸속으로 '담합'했습니다. 그리하여 국내는 물론이고 전 세계의 시민들로부터 대대적인 규탄의 목소리가 일어나고 있습니다.

이에 우리는 〈한일 일본군 '위안부' 합의 무효와 정의로운 해결을 위한 전국행동〉을 발족합니다.

'전국행동'은 2016년부터 다시 한 번 일본군 '위안부' 문제의 정의로운 해결을 위한 행동을 시작합니다. '전국행동'은 일본 정부의 범죄사실 인정, 번복할 수 없는 명확하고 공식적인 사죄, 사죄의 증거로서의 배상, 진상 규명, 역사교육과 추모사업 등의 조치를 세계인과 함께 요구해나갈 것입니다.

아울러 '제2의 아시아평화국민기금'에 다름 아닌 한국 정부의 재단 설립과 일본 정부의 10억 엔 출연을 온몸으로 거부하고, 전 세계인이 일본군 '위안부'로 희생된 할머니들과 손잡는 모금운동을 시작합니다.

그리하여 할머니들께 진정한 명예와 존엄을 안겨드릴 것입니다. 이 땅에서 다시는 전시 '성폭력'이 없도록 할 것입니다. 이 땅에서 다시는 전쟁이 없도록 할 것입니다.

우리 모두 할머니들의 눈물을 닦아드리고, 평화비(평화의 소녀상)가 비로소 발뒤꿈치를 땅에 닿도록 할 것입니다.

2016년 1월 14일
한일 일본군 '위안부' 합의 무효와 정의로운 해결을 위한 전국행동
참가단체 및 개인

갑작스러운 회오리바람을 맞고 몇 번이나 넘어질 뻔하면서 2016년을 맞이했다. 언제나 그렇듯이 연말연시는 어수선했지만, 2015년 12월 28일 한일 외교장관회담에 의한 '한일합의'는 특히 정신을 멍하게 만들었다. 경악하고 암담하고 아연실색하면서 부끄러움으로 가득 찬 마음을 주체하지 못해 차가운 바람 속을 걷는 수밖에 없었다.

부끄러움.

나는 2015년 11월부터 윤동주의 시를 다시 읽고 있었다.

연구실 책상 위에는 『하늘과 바람과 별과 시—윤동주 시 전집』(가게쇼보影書房)이 있고, 가방 안에는 『윤동주 시집』(이와나미문고岩波文庫)을 가지고 다니며 70년 전 후쿠오카 형무소에서 목숨을 빼앗긴 한국 민족시인의 말을 곱씹었다. 송우혜가 쓴 세련된 전기문의 책장을 넘기면서, 때로는 시인 마키무라 히로시(槇村浩, 억압과 지배 속에서 침략전쟁에 항거하다 죽어간 시인)를 생각하고, 때로는 센류(川柳, 5·7·5의 17음으로 된 짧은 시)인 쓰루 아키라(鶴彬, 일본 프롤레타리아 문학의 영향을 깊게 받은 대표적인 반전주의자)를 떠올리며, 엄습하는 권력과 대치한 젊은이들의 사상에 마음이 파르르 떨렸다.

> 죽는 날까지 하늘을 우러러
> 한 점 부끄럼이 없기를
> 잎새에 이는 바람에도
> 나는 괴로워했다.

작은 일에도 부끄러워했던 윤동주. 그의 감각을 죽인 일본인의 한 사람인 내가 어떻게 이 마음을 공유할 수 있을까. 과거의 식민지 지배를 모른 척하는 일본인의 한 사람인 내가 어떻게 이 글을 인용할 수 있을까. 또한 일본 제국에 살해당했다고는 하지만 마키무라 히로시나 쓰루 아키라의 이름을 윤동주와 나란히 적는 것이 적절할까.

마음은 산산이 흩어졌지만 그래도 "별을 노래하는 마음으로 나한테 주어진 길을 걸어가야겠다"고 중얼거려본다. '아름다운 또 다른 고향'을 생각하는 시인의 발자취를 마음에 새기면서, 우리는 계속 걸어가야 한다.

흔들리는 마음을 붙잡아준 사람은 긴급 출판기획을 궤도에 올려준 사이류샤(彩流社)의 데구치 아야코(出口綾子) 씨, 극히 짧은 기간임에도 글을 써준 논문 집필자들, 그리고 화내고, 분노하고,

슬픔에 빠지면서도 각각의 마음을 메시지에 담아준 동료들이다.

자신의 역사에 등을 돌리고 방약무인하게 행동하며 반성하지 않는 이 나라의 반지성주의, 성차별주의, 인종주의, 식민지주의에 이의를 제기하며, 이 책이 동아시아의 평화와 연대를 구축하는 데 작은 보탬이 되기를 바란다.

요시미 요시아키 씨의 인터뷰 기사를 신도록 허락해준 〈한겨레신문〉 편집부, 성명을 신게 허락해준 〈한일 일본군 '위안부' 합의 무효와 정의로운 해결을 위한 전국행동〉에 감사드린다.

어둠의 기념일 2016년 2월 11일에
마에다 아키라

양징자梁澄子
홋카이도 출생의 재일한국인 2세. 통역, 번역, 어학 강사. 〈일본군 '위안부' 문제해결 전국행동〉 공동대표, 〈YOSHIMI 재판 함께 액션〉 공동대표, 〈전쟁과 여성의 인권박물관 일본후원회〉 대표. 공편저로『바다를 건너간 조선인 해녀』, 『조선인 여성이 본 위안부 문제』, 『더 알고 싶은 위안부 문제』, 『내 마음은 지지 않는다』 등이 있고, 역서로 윤미향의『20년간의 수요일』이 있음.

니시노 루미코西野瑠美子
작가. 일본 저널리스트 회의 JCJ상 수상. 평화·협동 저널리스트기금 장려상 수상. 〈'전쟁과 여성에 대한 폭력' 리서치 액션센터(VAWW RAC)〉 공동대표. 주요 편저로『전쟁터의 '위안부'』, 『일본인 '위안부'』, 『일본군 '위안부'를 좇아서』, 『'위안부' 때리기를 뛰어넘어』 등이 있음.

가와카미 시로川上詩朗
홋카이도 출생. 변호사. 중국인 '위안부' 소송 변호단. 중국 핑딩산(平頂山) 사건 변호인단. 도쿄 변호사회 인권옹호위원회 위원. 저서로『회사임원 실무전서』, 『신생활 법률상담 핸드북』『핑딩산 사건이란 무엇인가』, 『핑딩산 사건 자료집』, 『법정에서 재판받는 일본의 전쟁책임』 등이 있음.

마에다 아키라前田朗
삿포로 출생. 야마토(大和) 민족 일본 국적. 도쿄조케이대학 교수(전쟁범죄론), 〈일본 민주법률가협회〉 이사. 〈노리코에네트〉 공동대표. 저서로『반인도적 범죄』, 『헤이트 스피치법 연구서설』, 『'위안부'·강제·성노예』, 『동아시아에 평화의 바다를』 등이 있으며, 역편서로『여성에 대한 폭력』, 『전시 성폭력을 어떻게 재판할 것인가— 유엔 맥두걸 보고 전역全譯』 등이 있음.

다나카 도시유키田中利幸

역사가. 서호주대학에서 박사 취득. 호주에 거주. 〈일본군 '위안부' 문제 해결 히로시마네트워크〉 공동대표. 저서로 『알려지지 않은 전쟁범죄』, 『Hidden Horrors: Japanese War Crimes in World War Ⅱ』, 『Comfort Women: Sexual Slavery and Prostitution during World War Ⅱ and the US Occupation』 등이 있으며, 공편저로 『Bombing Civilians: A Twentieth-Century History』, 『Beyond Victor's Justice?: The Tokyo War Crimes Trial Revisited』 등이 있음.

오카노 야요岡野八代

도시샤대학(同志社大學) 교수. 전공은 정치사상, 페미니즘 이론. 저서로 『법의 정치학—법과 정의와 페미니즘』, 『시티즌십 정치학』, 『페미니즘 정치학—케어의 윤리를 글로벌 사회로』, 『전쟁에 항거한다』 등이 있으며, 공저로 『헌법의 폴리티커—철학자와 정치학자의 대화』, 공편저로 『사랑의 노동 혹은 의존과 케어의 정의론』 등이 있음.

요시미 요시아키吉見義明

주오대학(中央大學) 상학부 교수. 전공은 일본근현대사. 〈일본의 전쟁책임 자료센터〉 공동대표. 저서로 『풀뿌리 파시즘』, 『종군위안부』, 『일본군 '위안부' 제도란 무엇인가』, 『불탄 자리에서의 데모크라시』 등이 있으며, 편저로 『종군위안부 자료집』, 공편저로 『공동연구 일본군 위안부』, 『'종군위안부'를 둘러싼 30가지 거짓말과 진실』 등이 있음.

일본 활동가들이 말하는
한일 '위안부' 합의의 민낯

엮은이 마에다 아키라
지은이 양징자 외 32명
옮긴이 이선희

펴낸곳 도서출판 창해
펴낸이 전형배

출판등록 제9-281호(1993년 11월 17일)
1판 1쇄 인쇄 2016년 8월 5일
1판 1쇄 발행 2016년 8월 12일

주소 서울시 마포구 토정로 222(신수동 448-6) 한국출판콘텐츠센터 316호
전화 02-333-5678
팩스 02-707-0903
E-mail chpco@chol.com

ISBN 978-89-7919-602-3 03300
© CHANGHAE, 2016, Printed in Korea.

「이 도서의 국립중앙도서관 출판예정도서목록(CIP)은
서지정보유통지원시스템 홈페이지(http://seoji.nl.go.kr)와
국가자료공동목록시스템(http://www.nl.go.kr/kolisnet)에서
이용하실 수 있습니다.(CIP제어번호: CIP2016018374)」

* 값은 뒤표지에 있습니다.
* 잘못된 책은 구입하신 곳에서 바꿔드립니다.